# 戦慄の未解決ミステリー88

住民を恐怖のドン底に陥れた
正体不明のシリアルキラー、
物証のない重要容疑者、
神隠しに遭ったように
消えた少年少女、
如レーダーから消えた飛行機、
海に漂う無人の幽霊船、
者が残した謎のメッセージ、
謀論が囁かれる重大事件。
真相が闇に葬られた
世界の未解決事件88本！

鉄人文庫

# 戦慄の未解決ミステリー88

目次

## 第1章 殺ったのは誰だ？

## 第2章 MISSING／消失

## 第4章 陰謀の影

本書掲載の情報は２０２１年10月現在のものです。

# 第1章 殺ったのは誰だ?

## "大草原の小さな家"で20人以上を惨殺、姿を消した4人の親子
# 殺人家族「ベンダー家」事件

旅行途中に立ち寄ったホテルが殺人鬼の巣窟だった、というのはホラー映画にありがちな設定だが、西部開拓時代のアメリカに、そんな恐怖のホテルが実在した。

カンザス州ラベット郡チェリーベール周辺は現在も牧場や農場の広がる広大な草原地帯である。この地にベンダー一家が住みついたのは1870年頃のこと。彼らは井戸を掘り納屋を作り牧場や農園を整備。道沿いに小屋を建て、雑貨屋兼宿屋をオープンした。小屋の中を帆布《はんぷ》で仕切り、後部の小さい部屋は家族が使い、キッチンとテーブルを備えた前室で雑貨を商う傍ら、旅行者に食事やベッドを提供する形だ。

ベンダー家は4人家族。父親のジョン（当時60歳前後）と母親のエルヴィラ（同55歳）はドイツ系移民でほとんど英語が話せず、長男のジョン・ジュニア（同25歳前後）はハンサムでドイツ語なまりの英語を話し、2歳年下の妹ケイトは美しく、霊能力者と新聞広告を出して交霊会《こうれいかい》を開いていた。

ベンダー家の4人。左から父ジョン、母エルヴィラ、長男ジョン・ジュニア、長女ケイト

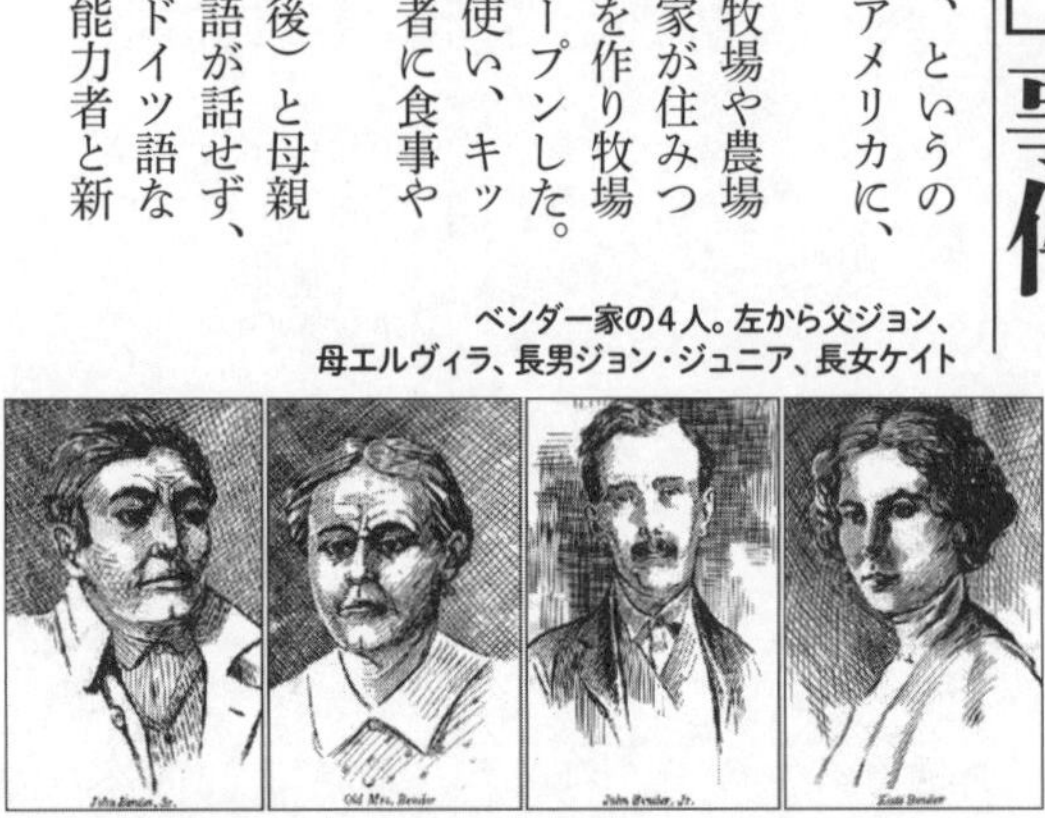

搜索が入ったベンダー家所有の小屋と敷地。ここで複数の遺体が発見された

彼らは訪問者が来るとケイトが話し相手になって気を引き、男たちがカーテンに隠れて客の背後に回り、ハンマーで殴ったりナイフで喉を切り裂いたりして殺害。死体は床の隠し扉から地下室に落とし、身ぐるみを剥いだ後に果樹園に埋めた。客のほとんどは貧乏だったというから、金銭目的というより殺人のスリルを楽しんでいたようだ。

しばしば周辺で変死体が見つかり、失踪者が相次ぐようになると、周囲も異変に気づく。ベンダー一家が住む場所を通ると神隠しに遭うとの噂が広まり、旅行者らもこのエリアを避け始めた。

一家に疑いの目が向けられたのは、1872年の父子2人失踪事件がきっかけだ。翌年、2人を捜していた医師のウィリアム・ヨークが姿を消し、彼の兄エ

ド・ヨーク大佐が50人もの捜索隊を引き連れ旅行者たちを尋ね歩き、家々を訪問。１８７３年3月、ついにベンダーの宿にたどり着いた。が、一家はウィリアムが宿泊したことを認めたものの、行方はわからないと言い張った。

数日後、ヨーク大佐が、ある女性からベンダーの宿屋でエルヴィラにナイフで脅され逃げ帰ったとの証言を得て、武装した捜索隊とともに再びベンダー一家を訪問。ケイトはヨーク大佐の弟ウィリアムの行方を霊視で捜すと申し出たが、母エルヴィラが激怒、大佐は宿屋を追い出される。

ちょうどその時期、別の住民に殺人や失踪事件の容疑が向けられていたこともあり、ヨーク大佐と住民らは集会を開き、さらなる捜索活動を行うために正式な令状を取ろうと話がまとまる。が、この集会にはベンダー家の子供たちも出席しており、事態を知ったベンダー一家は集会の3日後、忽然と姿を消す。

ベンダーの牧場の家畜が世話をされていないのに気づいた近所の住人が当局に報告し、捜索隊がベンダーの宿屋を訪れると、中は食料も家財もなくなっていた。代わりに強い悪臭が漂っていたため、警察は当初、ベンダー一家が襲われたと考えたという。しかし、ほどなく床の隠し扉と血みどろの地下室を発見。さらに敷地内を捜索すると、果樹園に埋められた複数の遺体が見つかった。犠牲者は少なくとも11人、総勢20人以上がベンダーの手にかかったとみられ、中には生後18ヶ月の赤ん坊の遺体もあったというからおぞましい。

ベンダー家の消息は、杳《よう》として知れない。ヨーク大佐以外にもいくつか捜索隊が結成され、一家を捕らえて殺害したという報告も複数あったというが、何ひとつ確実な証拠はない。ベンダー一家の首には3千万ドル（現在の価値で約6千万円）の懸賞金がかけられていたものの誰も請求してこなかったからだ。よって、犯人は明らかだが、行方がわからないため事件自体は未解決として処理されている。

ちなみに、事件発覚後、恐怖の宿屋は観光名所になり、週末には3千人以上の野次馬が押しかけたという。彼らによって家や井戸は荒らされ、カケラは土産として持ち去られたそうだ。

1961年、カンザス州は州の設立100周年記念行事の一環としてベンダー家の建物を復元、博物館として公開。人気を博したものの、1978年には閉鎖され、犯行に使われたナイフやハンマーなどのわずかな遺物は、現在も地元チェリーベールの博物館に保存されている。ちなみに、ベンダー家の名はアメリカでは広く知られており、事件と同時代を描いた名作『大草原の小さな家』の原作者ローラ・ワイルダーは、自分の父親も殺されかけたとの衝撃的エピソードを語っている。

殺害に使われた斧

## アメリカ犯罪史上最古のシリアルキラー

# オースティンの斧男事件

アメリカ西部開拓時代の１８８４年12月31日、テキサス州オースティンの町で若い黒人メイドのモリー・スミスがベッドで惨殺死体となって発見された。頭は真っ二つに割られ、全身刺し傷だらけで内臓が飛び出すなど酷い状態だった。翌年5月にも黒人女性料理人のイライザ・シェリーが同様の手口で殺され、2週間後には黒人女性のメイド、アイリーン・クロスが頭や腕を斧のようなもので切断されて死んでいるのが見つかった。イライザもアイリーンも同居している家族がいたにもかかわらず、狙われたのは彼女たちだけ。犯人は若い黒人の使用人の女性だけをターゲットにしているように思えた。

そして8月、11歳のメアリー・ラメミーが犠牲となる。メイドの母親が襲われ意識を失っている間に裏庭の洗面所に引きずり込まれ、鉄の棒で耳を刺され、レイプされていた。続けて9月にはグレイシー・ヴァンスとオレンジ・ワシントンの黒人カップルが殺害される。ワシントンは斧で頭蓋骨を割られ、ヴァンスは馬小

TRAGEDY AT AUSTIN.

THE SERVANT GIRL AGAIN THE VICTIM.

A BLOODY CHRISTMAS EVE.

SHOCKING BUTCHERIES AT AUSTIN.

Another Chapter of Crime From the State Capital That Makes the Blood Run Cold.

HELL BROKE LOOSE,

Could Not More Appall the Good People of the Capital City

事件を報じる当時の新聞

屋で頭がほとんどゼリー状になるまで殴られていたそうだ。新聞は事件を大々的に報道し、連続殺人犯を「ミッドナイト・アサシン（真夜中の暗殺者）」「オースティンの斧男」と呼んだ。

当時のオースティンは西部の小さな町ながら人口約1万5千人。住民の数は右肩上がりに急増し、多くのレストランやホテル、議事堂などが建設され町全体が活気に満ちていた。おぞましい殺人事件が起きても、当初の被害者が黒人女性だったため、白人住民は自分たちに関係がないと無視を決めこんでいた。が、1885年のクリスマスイブに状況が一変する。初めて白人女性が犠牲になったのだ。

早朝に惨殺死体が見つかったのはユーラ・フィリップス（当時17歳）。自宅から屋外に引きずり出されてレイプ後、腕を木材で地面にピン留めされていた。さらにその日の真夜中、ある新聞が〝オースティンで最も洗練された女性の1人〟と表現したスーザン・ハンコック（同17歳）が自宅でレイプされた後、頭を真っ二つに割られた。その遺体には、鋭くて細い棒が右耳から脳に刺さっていたそうだ。

この事態に住民は戦慄。男性はライフルやピストルで武装し、女性と子供たちは荷馬車で他所に疎開させられた。ある人は州立精神

11歳で殺害されたメアリー・ラメミー

白人の被害者。
ユーラ・フィリップス（左）とスーザン・ハンコック

病院の入院患者が夜な夜な抜け出し女性を殺戮していると信じ、黒人コミュニティはブードゥーの呪術と考えていた。また、町の有力者たちは殺人を止めるために必死になって案を絞り出し、ある市議会議員はオースティンの全ての女性に番犬を与えるように提案したそうだ。

当時はシリアルキラー＝連続殺人犯の言葉もなく、心理プロファイルや指紋&血液型判定などの科学捜査とも無縁な時代。警察の唯一の切り札は警察犬で、捜査員はオースティンの未舗装の路地を夜どおし犬と駆けずり回っては次々容疑者の男性を逮捕。その中にはユーラ・フィリップスの夫のジミーも含まれており、彼はいったん妻殺しの罪で有罪とされたが、後に他の容疑者も全て無実であることが判明した。

襲撃から生き残った証人は加害者を男と証言したが、それ以上の具体的な内容は得られなかった。殺人犯に関する情報は錯綜し、白人もしくは褐色の肌、または肌の色を隠すために油煙を塗っている、あるいは「黄色の男」。または、だぶだぶの女性用のガウンを着た男、ソフト帽をかぶった男、帽子をかぶり顔の下を白い布で覆った男など様々だった。

実際に有力容疑者と目されたのは、モーリスと呼ばれるマレーシア人の男性コックである。事件の起きた付近の家に彼が雇われたのは1885年で、仕事を辞め帰国したのが白人女性2人が殺害された翌月の1886年1月。モーリスが立ち去ってから殺人はぴたりと止んだ。そして、もう1人の容疑者がイギリス人の綿花商ジェイムズ・メイブリックだ。彼は一連の殺人が終わった3年後の1888年、ロンドンで発生した有名な未解決事件「切り裂きジャック」の容疑者の1人で、1884年から1885年はオースティンにいたと言われている。果たして、アメリカ最古のシリアルキラーは誰だったのか。

容疑者の1人、綿花商のジェイムズ・メイブリック。『切り裂きジャック：アメリカン・コネクション』を著したジャーナリストのシャーリー・ハリソンは著作の中で彼を犯人と名指ししている。メイブリックは1889年、妻にヒ素を盛られ死亡した

一家を次々連れ出しては殺害した正体不明の男

# 青ゲット殺人事件

赤いマントをつけた怪人物が子供を誘拐し殺すという有名な都市伝説の基になったのが、1906年の冬、福井県で起きた青ゲット殺人事件である。

同年2月12日の吹雪の夜、福井県三国《みくに》町にある廻船問屋《かいせんどんや》・橋本利助商店に1人の男が現れた。見た目35歳ぐらい。手ぬぐいをほおかむりして、その上から青っぽいゲット（地元の言葉で毛布のこと）をかぶった出で立ちで、番頭の加賀村吉（当時30歳）を呼び出した。男は「私は新保《しんぼ》村の加賀さんの親戚から使いとして来たものですが、親戚のおばあさんが急病で倒れたのですぐ来てほしいとのことです」と、村吉を外に連れ出した。2時間後、今度は村吉の自宅に青ゲットの男が現れ、

大量の血痕が残されていた新保橋

同じように村吉の母キク（同50歳）を、そしてその1時間後には村吉の妻ツオ（同25歳）までをも連れ出した。その後、男は三度加賀家に現れ、2歳の次女を連れていこうとしたが、ツオに留守番を頼まれた隣家の女性が不審に思い次女を渡すことを拒む（長女は子守として他家に出向いていていた）。

青ゲットの男に連れ出された3人は、いつまで経っても戻らなかった。調べると新保村の親戚には誰も病人などなく、使いの者を頼んだ事実もないことが判明。三国警察署に置かれた捜査本部の捜索で、加賀家裏手の竹田川に係留してあった小船の船べりに血痕が付着しているのが見つかり、小船から少し下流の川底に妻ツオの遺体が、さらに翌日には母キクの遺体も九頭《くず》竜川《りゅうがわ》の河口付近で発見された。村吉の遺体が出てこないことから、村吉主犯説が捜査本部内で取り沙汰されたが、新保橋に残された血痕が1人分にしては多すぎることなどから、最終的には村吉も殺害され遺棄されたと判断される。

状況や証言から推察される事件の経過は、まず青ゲットの男は店から村吉を連れ出し新保橋で殺害、次に自宅から連れ出したキクを同様に新保橋で殺害して川に。続いて妻ツオを「船で対岸の新保村へ渡す」とでも言って誘い出し、殺害して川へ遺棄したようだった。

一家を次々に残忍な手口で殺害していることから、村吉に強い恨みを抱いた者が犯人だと察せられたが、村吉は真面目で酒も飲まず、よく働き、若くして番頭に取り立てられた孝行者。結局捜査は進展することなく1921年に時効を迎え、迷宮入りとなった。それから5年後の1926年、京都府警に窃盗罪で逮捕されていた男が、自分が真犯人だと告白。すわ一件落着かと思われたが、男の供述に整合性がなく、警察は名をあげたいためのデタラメと結論づけた。

## 少なくとも12人以上の頭部を切断した連続殺人鬼

# キングズベリー・ランの屠殺者事件

１９３０年代、米オハイオ州北東部のクリーブランドで少なくとも12人を惨殺した「キングズベリー・ランの屠殺者《とさつしゃ》」、または「クリーブランド胴体殺人者」と呼ばれるシリアルキラーがいた。

クリーブランドはアメリカ五大湖のひとつエリー湖南岸に位置し、いくつもの運河や鉄道の起点となり、重工業都市として発展。事件当時は大恐慌だったにもかかわらず各地から流れてきた労働者たちで賑わっていたが、近郊の干潟に隣接するキングズベリー・ランと呼ばれる一帯は浮浪者の集まるスラム街で、ゴミや汚物にまみれていた。

事件は１９３５年9月23日、キングズベリー・ランで身元不明の白人男性が遺体で見つ

身元不明のバラバラ遺体を調べる捜査官

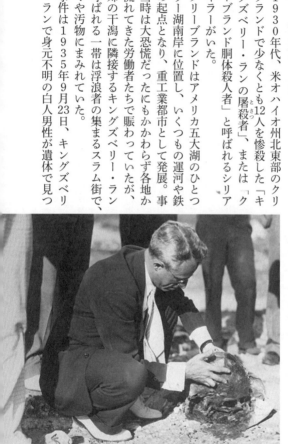

かったことから始まる。鑑定から死後3〜4週間と見られたが、特徴的なのは遺体の状況で、頭部はなく、両腕とペニスが切断され、遺体の横に添えられていた。さらにこの遺体から9メートルほど離れた場所でもう一体、頭とペニスが切り取られた死後2〜3日の白人男性の遺体が発見される。やはり頭部はなく、ペニスが遺体の横に置かれていた。特筆すべきは、両遺体とも全身防腐処理が施されていたことで、犯人が医療知識を持つ人物であることがうかがえた。

その後の捜索で、土中に埋められていた頭部が発見されている。犯人は頭部を切り離すことを楽しんだのか、はたまた警察の捜査を攪乱《かくらん》するためか、その目的は見当もつかないが、頭部は生きたまま切断され、それが死因だった。

体に6つの刺青があった第4の被害者の発見現場

以後も犯人は「頭を切り離す」手口で、次から次へと殺人を繰り返す。最初の遺体発見から4ヶ月後には女性の下半身と片腕が。頭部だけの遺体のそばに頭の持ち主とは違う体とペニスが置かれていたり、中には全身に「Helen and Paul」や「W.C.G.」など特徴的な刺青が6つも入った遺体もあった。が、いずれもキングズベリー・ランの住人だったため、身元特定は困難を極めた。警察は、1935年から1年の間にクリーブランド周辺で惨殺された12人が「キングズベリー・ランの屠殺者」による犯行とみなしているが、そのうち身元が判明している犠牲者は3人だけだ。

　殺人鬼が犯行を重ねていた頃、クリーブランド地方の警察署と消防署などを統轄する公共治安本部長に就任したのがエリオット・ネスである。1931年、「アンタッチャブル」と称されるチームを率いて暗黒街に君臨するマフィアのボス、アル・カポネを検挙したことで知られる凄腕の捜査官だ。

　ネスは、大胆な作戦に打って出る。1938年8月18日、12番目の被害者が見つかった2日後、キングズベリー・ランの住民を強制退去させたうえでスラム街を破壊、燃やしてしまったのだ。犯人が被害者を物色する場所をなくすことが目的で、これ以降、公式に認定された犠牲者はいない。他にもネスは無茶な捜査を実施。身元が判明している第3と第8の被害者と知り合いのフランク・ドレザルという男性を逮捕したうえで刑務所内で不審死させ、第一次大戦中に医療部隊に所属していたフランシス・E・スウェニー博士を容疑者として手酷い尋問を繰り返し、精神病院に送り込んだ。ただし、ネスには犯人と確信していた容疑者が別に存在し、その人物は、一連の殺害が止まった後も何年にもわたってネスをあざけり続けたのだという。

事件は大々的に報じられ、街中が震撼した

Showers Tonight May Ease Erie Heat Wa

NIGHT FINAL

THE ERIE DAILY TIMES

DEWEY CITES HINES RACKET DEAL

Find 12th Torso Victim In Cleveland

BODIES OF TWO WOMEN FOUND BY LAKEFRONT

Find 2 More Torso Victims

O'Connor Included In Roosevelt Purge

MERCURY AT 94 TUESDAY SETS MARK FOR YEAR

In Spotlight

Jury Foreman

Honeymoon Ends in Tragedy

Judge in Refusal to Halt Jury Quiz

Jack Dempsey Not to Shift Residence

Reich Raps Hull Peace Proposals

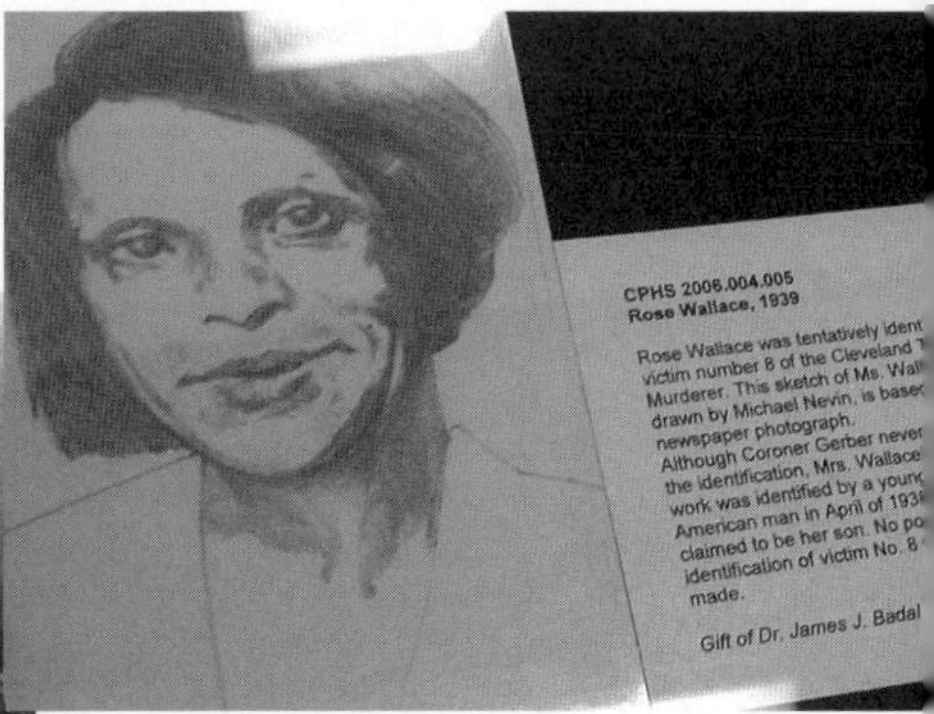
CPHS 2006.004.005
Rose Wallace, 1939
Rose Wallace was tentatively ident
victim number 8 of the Cleveland T
Murderer. This sketch of Ms. Wall
drawn by Michael Nevin, is base
newspaper photograph.
Although Coroner Gerber never
the identification, Mrs. Wallace
work was identified by a young
American man in April of 193
claimed to be her son. No po
identification of victim No. 8
made.
Gift of Dr. James J. Badal

第8の被害者
ローズ・ウォレスの肖像画

捜査の陣頭指揮を執ったエリオット・ネス。
アル・カポネの逮捕に貢献したことで知られるが、
彼をしても犯人は逮捕できなかった

近年の調査で、キングズベリー・ランの屠殺者による犠牲者はもっと多かったのではないかといわれている。1934年9月にエリー湖畔で発見された身元不明の女性や、1936年7月にニューキャッスル市で停車していた列車の中から発見された頭部のない身元不明の遺体。その他にも、近郊の湿地で1921年から1934年の間と、1939年から1942年に見つかったいくつものバラバラ遺体、1940年5月に見つかったマッキーズ・ロック地区の頭部のない3人の遺体、さらには1950年7月にクリーブランドのダヴェンポート通りで遺体となって発見された男性も、殺害状況や遺体の損壊状態がキングズベリー・ランの屠殺者によるものとよく似ており、関係が指摘されている。

# 教会からの帰りに失踪、5ヶ月後に遺体で見つかった17歳の少女

# キュッリッキ・サーリ殺人事件

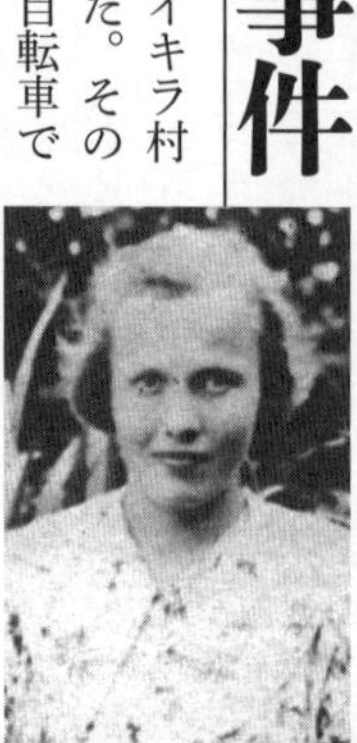
被害者のキュッリッキ・サーリ。家業の農業を手伝っていた

1953年5月17日、フィンランドの南西部イソヨキ地方ハイキラ村に住む当時17歳の女性キュッリッキ・サーリが行方不明になった。その日は日曜日で、キュッリッキは自宅から約20キロ離れた教会に自転車で出向いて青年イベントに参加。会が終わり、途中の道で友人と別れたのが22時30分。彼女は自転車に乗って帰途につき、そのまま姿を消していた。

通報を受けた警察が事件として捜査を開始すると、翌日、教会からハイキラ村へ向かう道で、たくさんの足跡や、自転車のタイヤ痕、車の方向転換痕、割れたガラスが発見された。さらに、彼女がいなくなった当日23時頃、キュッリッキが自転車で自宅に向かっていた道を見慣れないクリーム色の車が走っていたという目撃証言が複数寄せられたことから、警察は彼女が車で連れ去られた可能性が高いと睨む。

失踪から2ヶ月以上が経過した7月22日、遠く離れた湿原で彼女の自転車を発見。さらに3ヶ月後の10月10日、深い森の中でキュッリッキの靴やスカーフが、そして翌日、まるで墓のように木の枝で囲まれた土中からコートで頭を覆われたキュッリッキの半裸遺体が見つかる。石のような鈍器で頭を殴られたのが死因だった。不可解なのは、そこは捜索隊が以前にも訪れており、遺留品も木の枝もなかった場所。その後犯人が早く見つかるよう、意図的に目印を置い

たように思えた。

捜査線上に浮かんだ全282人の中で警察がクロと睨んだ容疑者は2人。最初に検挙されたのは元イソヨキの牧師で、彼はキュッリッキと男女の関係があった。が、車も免許もなく、アリバイも完璧。ただ彼には女性関係でアフリカの宣教活動から追放された過去があるうえ、事件捜査中の1956年、17歳未満の少女と関係を持った容疑で投獄されている。その他にも若い女性と何度もトラブルがあったため、未だ彼が犯人だと信じている住民は多い。

遺体はまるで墓のように枝に囲まれた土の中に埋まっていた

そして警察が最後まで犯人と確信していたのは、イソヨキより北部にある街でカフェを経営する35歳の男性だ。事件当日に目撃されたクリーム色の車は男性所有の車と同じで、店のスタッフとともに犯行を働いたと捜査本部は見立てた。しかし、男性はアリバイを主張。失踪当日の22時から深夜までシティホテルにおり、しかも自分の車は事件前の5月3日から修理工場に運ばれ、5月30日まで運転できなかったというのだ。結局、警察は犯人を特定できず事件は迷宮入りとなった。

## 犯人はアメリカ軍人か連続殺人鬼か
# ジャン・タウンゼント殺害事件

1954年9月15日朝、英ミドルセックス州で、ロンドンのウエストエンドで演劇の衣装係として働いていた女性ジャン・タウンゼント（当時21歳）が殺害された。前の日の夜、彼女はウエストエンドでパーティに出席し、23時45分頃、サウスライスリップ駅を出てビクトリアロードを1人で歩いているのを目撃されていたが、翌朝、ビクトリアロードの北側の荒れ地で遺体となって見つかる。自分のスカーフで首を絞められており、肌の露出が多かったものの性的暴行の痕跡はなかったという。

警察は、現場近くの住人が夜遅くに助けを求める女性の叫び声と、2人の男性の声を聞いたとの証言を得る。そのうちの1人はアメリカ英語のアクセントだったという。さらに事件の前日、周辺で若い女性に近づく男性がいたとの情報が多数寄せられる。アメリカ人のアクセントで話し、アメリカンタイプの車を運転する30歳前後の額の広い男性が彼女に繰り返し話しかけてきたとの目撃証言から、当局はアメリカ軍人が犯人と目星をつけた。が、犯人は捕まらない

21歳で殺害されたジャン・タウンゼント

まま17年の時が過ぎる。

事件が迷宮入りした1971年6月13日の夜、29歳の主婦グロリア・ブースの絞殺死体が、ジャンが発見された場所の近くで見つかった。ジャン同様、犯行に使われたのはスカーフだった。同一犯の可能性もあることから、当局は両事件を関連づけて捜査に挑むも、犯人逮捕には至らない。1982年10月、ロンドン警視庁は突如、「ジャン・タウンゼント事件に関する情報提供を受け、ファイルを再調査している」として、アメリカ軍人が関与していないこと、ジャンの事件と他の事件は関係ないこと、ジャンはレイプされたことを伝えられたと公表したものの、それ以上の内容は皆無。不審に感じたジャンの元クラスメートが国立公文書館で捜査情報にアクセスしようとしたところ、2031年までファイルの公開が禁止されていることが明らかになった。当局があえて犯人はアメリカ軍人でないと発表したこと、捜査ファイルを閲覧不可にしたことに何らかの秘密が隠されている可能性はある。

また近年浮上しているのが、ジャンを殺害したのは1956年から1958年の2年間でスコットランドで7人を殺害した連続殺人鬼、ピーター・マニュエルではないかという説だ。研究者によればマニュエルが1954年後半の短い間、サウスライスリップ地域におり、ジャンを殺害した可能性は十分あるという。が、彼が犯人であるという証拠はなく、マニュエルは1958年7月、グラスゴーのバリニー刑務所で死刑に処された。真相は藪の中だ。

スコットランドで7人を殺害したピーター・マニュエルが犯人という説も

## 線路上に置かれた遺体に口紅で「ポール」の文字が

# キャロリン・ヴァシレフスキー殺害事件

1954年11月9日の寒い朝、米ボルチモアで列車を運転していた機関士が前方に異物を見つけ、列車を止めた。確認しようと駆け寄ると、線路上に女性の遺体が置かれていた。見た目は20代後半から30代前半。しかし、実際は14歳の少女で、「ドレープス」というギャング団に入っていたキャロリン・ヴァシレフスキーと判明する。

キャロリンは前日の18時過ぎ、ピンクのセーター、ピンクとブルーの矢印の模様が入ったスカート、黒いコーデュロイジャケットを着て自宅を出た。近くの小学校で行われるダンスレッスンの入会登録をするため、友人ペギー・ラマナ（当時16歳）を誘いに行く予定だったという。が、彼女はペギーの家に寄らず夜になっても家にも戻らない。娘の身を案じる両親のもとに悲報が届いたのは翌朝のことだった。

キャロリンの遺体は半裸状態で体中に傷がついており、靴とスカートはなくなっていた。不可解なのは右の太ももに口紅で“Paul”という名前が書いてあったことだ。警察は、キャロリンは列車に轢かれたのではないと断定し、線路の上の橋から投げ落とされたか、事故に見せかけるため、どこかで殺された後、線路の上に放置されたものと考えた。そして、まもなく殺害現場が発覚する。キャロリンの自宅近く、線路からは13キロほど離れた場所で血まみれの彼女の靴や所持品が見つかったのだ。

解剖の結果、死因は頭蓋骨骨折と判明。性的暴行の痕跡はなく、死亡推定時刻は前夜の23時前後。キャロリンは犯人に激しく抵抗したらしく、指が1本折れていたそうだ。

痛ましい事件の解明に向け、警察は懸命の捜査を実施。ギャング団「ドレープス」の仲間や、友人のペギーを含め300人以上を尋問した。その中で最も疑わしかったのは、白人の既婚男性ラルフ・ギャレット（同45歳）だ。ギャレットはキャロリンの友人を性的に暴行した罪で訴えられており、キャロリンは殺される1週間前に彼に不利な証言をしていた。しかもギャレットの住まいは殺害現場に近く、当日の夜にキャロリンと話しているところを目撃されてもいた。容疑は濃厚だ。

ところが事件の2日後、今度はギャレットが遺体で発見される。彼の車が町はずれに乗り捨てられており、キャロリンの血まみれの服が見つかった場所の近くで、ベルトで首を吊っていたのである。キャロリンを殺害したことを悔いての自殺に思われたが、ギャレットの妻は、夫は自分の母親が亡くなったことでとても落ち込んでいたので、それが原因だと語った。対し警察も、ギャレットはキャロリンの事件とは無関係で、彼の死はたまたまタイミングが一致した自殺だと判断する。

大人びていて14歳には見えなかったキャロリン・ヴァシレフスキー

事件から半世紀以上が経った現在も、キャロリンを殺害した犯人は捕まっていない。いったい彼女を殺したのは誰で、遺体に書かれたポールとは誰を指すのか、そして口紅で名前を書いたのは誰なのか、何もわからないままだ。

## エルビス・プレスリーがラジオで異例の呼びかけ

# グライムス姉妹殺人事件

米シカゴに住むグライムス家のバーバラ（当時15歳）とパトリシア（同12歳）は、エルビス・プレスリーが大好きな姉妹だった。1956年12月28日も2人はプレスリー主演の映画を観に出かけ、21時30分頃、彼女たちが劇場でポップコーンを買うため並んでいるのを友人が目撃している。が、これを最後に姉妹の姿は忽然と消失する。

両親から通報を受けた警察は、数百人の地元ボランティアと一緒に地域全体を戸別訪問。多数の運河や川の水底を捜し、さらに1万5千枚を超えるチラシを配布、姉妹が通っていた教会の教区民は2人の所在につながる情報に対して1千ドル（現在の価値で約200万円）の賞金をかける。結果、多くの情報が寄せられたものの、いずれも決め手に欠けた。

母親は2人が映画を観る分のお金しか持っておらず、勝手にどこかへ行くような子たちではないと涙ながらに語った。一方、警察は姉妹が親の知らないボーイフレンドと遊んでいたり、テネシー州のプレスリーの家に行ったのではないかとの疑いを持つ。そこでプレスリーに救いの手を求め、1957年1月19日、プレスリーの事務所が公式に声明を発表。さらにプレスリ

殺人事件の被害者となったバーバラ・グライムス（右）と妹のパトリシア

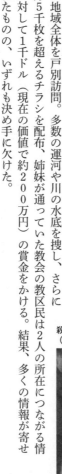

ー自身がラジオで直接、「あなたたちが良いプレスリーファンなら、すぐに家に帰りお母さんを安心させてあげてください」と2人に話しかけた。

しかし、失踪から1ヶ月後、姉妹は道路脇で全裸の遺体となって発見される。検視の結果、姉バーバラにはレイプの痕跡と、胸部にアイスピックによる傷跡、頭や顔に鈍的外傷が見られ、妹パトリシアにもレイプ跡と顔と体にアザや傷が多数あったが、いずれも致命傷ではなく、死因はショック死と結論。胃の内容物から自宅で食べた夕食の未消化物が出てきたため、28日の深夜に殺害されたと思われた。

遺体の発見現場

捜査線上に多くの容疑者が浮かぶなか、有力視されたのがプレスリー似と評判のベニー・ベッドウェルなる男性だ。外見をネタに女の子をナンパするのが常套手段で、事件の日も2人の女の子とレストランで酒を飲んで騒いでいたとウエイトレスが証言。それを受け、警察が彼を厳しく取り調べた結果、いったんは犯行を自供。しかし裁判で、一緒に飲んだ相手がグライムス姉妹でなかったと判明する。
姉妹を惨殺したのは誰か。事件の謎は未だ解けていない。

最有力視された容疑者のベニー・ベッドウェル。事件の前にも13歳の少女を強姦した罪で裁判にかけられていた

## 別荘にやってきた謎の訪問者に惨殺された4人

# ボーレス一家殺人事件

1965年8月13日の金曜日、米カリフォルニアで陰惨な事件が発生する。州南部オレンジ郡に住むボーレス一家4人が血まみれで殺害されたのだ。

事件の舞台となったのは、サンバーナーディーノ山脈に抱かれた山間のリゾート地として知られるクレストライン。ここに、平日は都会の自宅で過ごし、週末は自然の中でリラックスしようと購入したボーレス家の別荘があった。その日も父親のジェームス（当時41歳）と母親のダーリーン（同37歳）、そして長男ボビー（同13歳）と次男トミー（同12歳）の家族全員で別荘を訪れていた。

彼らの親類が一家の異変に気づいたのは月曜日になってからだ。別荘には電話が設置されていなかったため、週末に連絡がつかないのは仕方ないとしても、週が明け自宅に戻っているはずなのに誰も電話に出ない。心配になったダーリーンの兄フロイドはサンバーナーディーノ保安官事務所に通報、

ボーレス一家。左から父ジェームス、母ダーリーン、長男ボビー、次男トミー

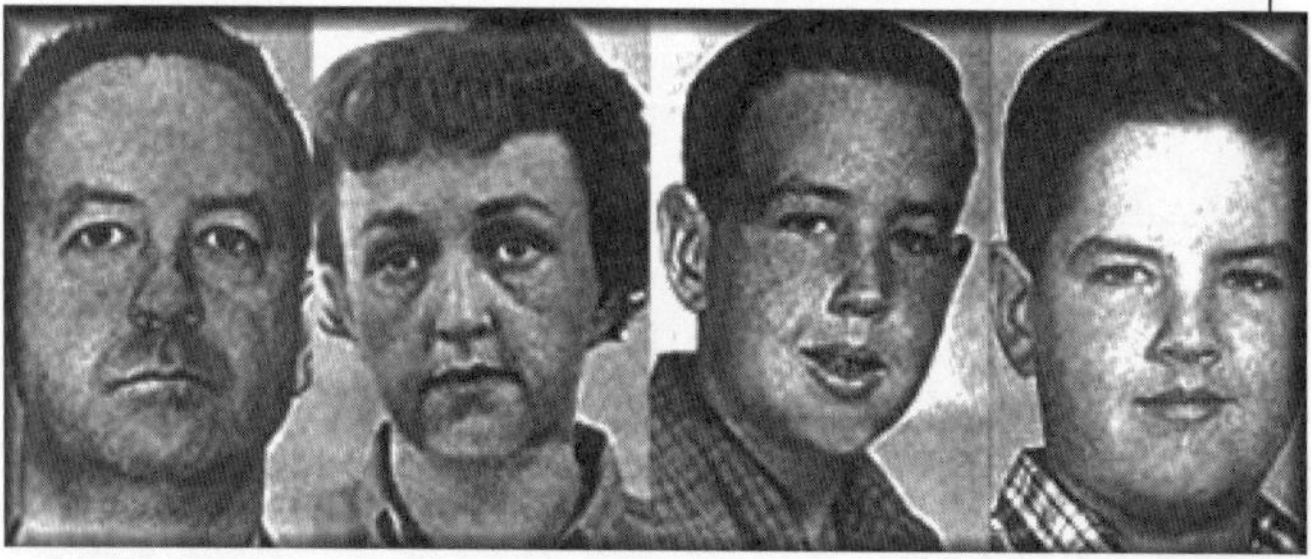

別荘を確認してもらうことにした。が、いつまで経っても折り返しがないことに焦れた彼は、土地勘のあるスタッフを連れ、自ら現地に乗り込んだ。

フロイドらが別荘に着いたのは17時頃。デッキの窓から中をのぞくと、愛犬が血まみれで死んでいるのが見えた。驚いたフロイドは開いていた玄関から中へ。そして寝室で一家4人の変わり果てた姿を発見する。彼はすぐ取って返し、最寄りの保安官事務所に駆け込んだ。

捜査員が現場で確認すると、4人は現場に残されていた22口径の拳銃で複数の銃弾を浴びていた。犯人につながる物証としてサイズ11（約29センチ）の足跡が見つかったが、前日に雨が降ったため、タイヤ痕などの物証は皆無。ボーレス家の車は別荘から60メートル先に放置されており、捜査員は容疑者が戻ってくるかもしれないとしばらく待機していたものの空振りに終わった。

警察の捜査でわかったのは、土曜に一家に会った知人が、彼らがレストランで夕食をとり、ジェームスが20時に訪問者があると話していたこと。土曜の夜にボーレス家の別荘の近所で大規模なパーティが行われたため、仮に拳銃が発射されても誰も気づかなかっただろうということ。さらに地元の新聞配達の少年が、日曜の朝6時にはボーレス家の車が放置された場所にあったと証言したことだ。これらを総合すると、土曜の夜に別荘を訪れた人物がボーレス一家を惨殺した可能性が高くなる。

警察は友人や同僚をはじめ、ダーリーンの元夫やフロイドまでを事情聴取した。結果、精神疾患を持つ1人の男性が有力容疑者として浮かんだ。が、逮捕には至らず事件は未解決のまま闇に葬られた。

## 同性愛者14人の命を奪ったサンフランシスコの連続殺人鬼

# ドウドラー事件

1974年1月から翌年9月にかけ、米カリフォルニア州サンフランシスコで、同性愛者の男性ばかり14人が殺される事件が発生した。サンフランシスコ警察は当初、事件はそれぞれ別で犯人が複数いるものと見立てていたが、全ての被害者が同じ手口で襲われたことから、同一犯による連続殺人事件と断定した。

事件は1974年1月24日、サンフランシスコのオーシャンビーチで白人男性の死体が発見されたことから始まる。遺体の主はマットレス工場で働くカナダ系移民のジェラルド・カバノフ（当時49歳）。遺体に何ヶ所もの刺し傷と防御創が認められたことから、彼は意識があるうちにメッタ刺しにされつつも、必死に抵抗したことがうかがえた。後に、カバノフがゲイだったことも判明する。

カバノフを殺害した犯人の手がかりもつかめないうちに、

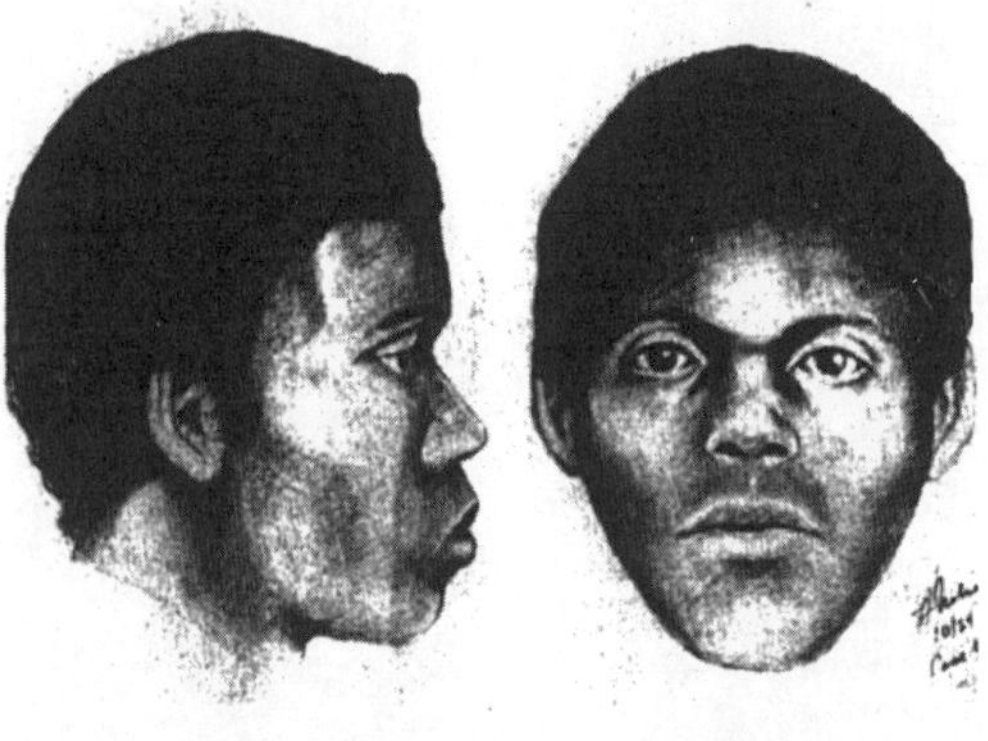

襲撃されながら生き残った被害者の目撃証言から作成された犯人の似顔絵

次の犠牲者が出る。6月25日、サンフランシスコのゴールデン・ゲート・パーク内にあるスプレッケル湖のほとりで女性が死んでいるとの通報が入った。が、警察の調べで、亡くなったのはテキサス出身のジョゼフ・スティーヴンス（同27歳）なる女装した男性と判明。遺体には3ヶ所の刺し傷があり、肺まで達した傷が致命傷で、口と鼻には血だまりができていた。通称〝ジェ〟と呼ばれていた彼はサンフランシスコのゲイコミュニティではかなりの有名人で、若い頃は美しすぎる女装家として、そして晩年は女装コメディアンとして活躍。遺体発見の前日にはモンゴメリー・ストリートのゲイクラブで目撃されていた。犯人はその店でスティーヴンスに目をつけて誘い出し、遺体の発見現場付近で殺害したものと推測された。

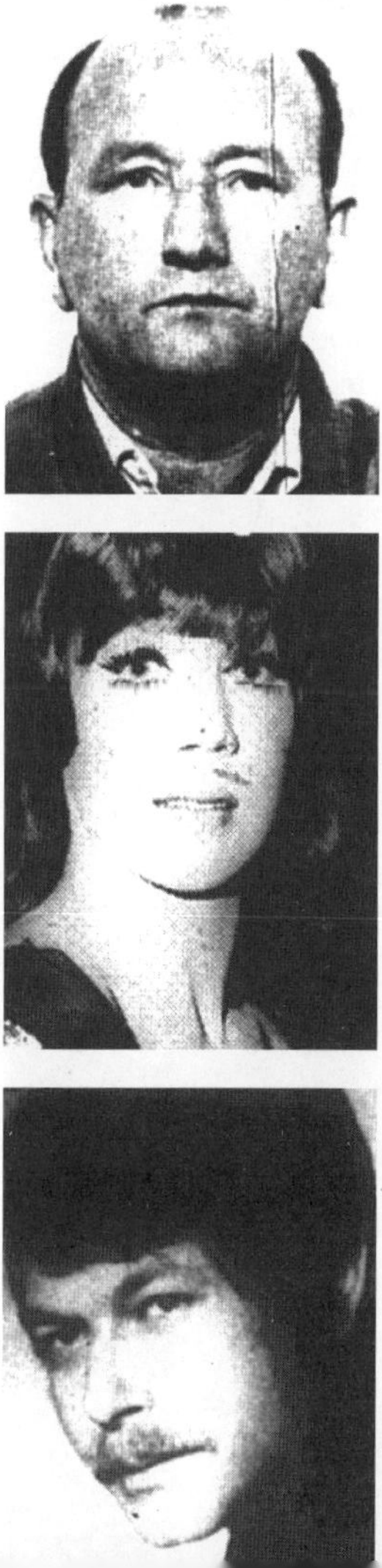

1974年に殺害された3人。上からジェラルド・カバノフ（当時49歳）、ジョゼフ・スティーヴンス（同27歳）、クラウス・クリストマン（同31歳）

3人目の遺体は7月7日、リンカーン・ウェイ側のビーチで犬の散歩中だった女性によって発見された。被害者は、ドイツ人のクラウス・クリストマン（同31歳）で、彼は普通のサラリーマンで妻と2人の子どもがいたが、死亡時の服装（シックなイタリア製のシャツやオレンジのビキニブリーフ、3つの指輪など）やメイク道具を持ち歩いていたことから同性愛者だと推測された。その遺体は喉を3ヶ所も切り裂かれたうえ、少なくとも15回刺されていたという。

ちなみに、クリストマンの事件はサンフランシスコ市警の主任捜査官デイブ・トスキが担当した。彼はアメリカで最も有名な未解決事件のひとつ「ゾディアック事件（1968年から1974年にかけてサンフランシスコ市内で少なくとも5人が殺害された連続殺人事件）」に携わった人物。この著名な刑事をして、クリストマンの遺体は「今まで調査した被害者の中で最も悲惨なもののひとつ」と言わしめた。

当初、別々の事件と認識していた警察はクリストマン事件を受け、被害者が同性愛者であることと、市内のゲイ・スポットからターゲットを車で誘い出して郊外で刺し殺す手口が一致していることから、先の2つの殺人も同一犯の仕業と確信する。が、捜査は暗礁に乗り上げる。

サンフランシスコ市警によると、その後1975年の夏にも海軍の医療兵士だった32歳男性や、船員だった66歳の男性など5件の事件が起こり、少なくとも9人が亡くなり、被害者の総計は14人を数えた。その他に犯人の襲撃から生き延びた男性たちが3人。警察は彼らの目撃証言から似顔絵を作成して公開したが、それが漫画風だったため、一連の殺人事件の犯人は「ドゥドラー（いたずら書きの人）」と呼ばれるようになる。

1970年代当時のサンフランシスコのゲイコミュニティ。彼らの間では犯人の目星はついていたと言われるが、法廷で証言する者は誰一人いなかった

警察が似顔絵を頼りに改めて捜査を始めると、犯人はアッパーマーケットとカストロ地区のバーやレストランに頻繁に出入りしていることが判明。痩身の黒人で、年齢は19歳から22歳、身長は175～180センチ。よく海軍タイプの時計キャップを着用していることもわかった。どうやら、犯人はゲイコミュニティでは周知の男性だったらしい。にもかかわらず、犯人逮捕につながらなかったのは、裁判所で証言してくれる人物がいなかったからだと言われる。証言台に立つことになれば当然、自身もゲイだとカミングアウトせざるを得ない。当時は同性愛者に対する偏見が現在とは比べ物にならないほど酷い頃。誰もが事件に関わりたくなかったのだ。2020年9月現在、犯人の正体は不明のままである。

## 脱獄犯の男性が逮捕されるも、裁判で無罪に

# オクラホマキャンプ少女三人惨殺事件

1977年6月、米オクラホマ州メイズ郡のキャンプ場でガールスカウトの幼い3人の少女が惨殺される事件が発生した。このニュースに全米は震撼、警察は必死の捜査を展開したが、今現在も事件の解決には至っていない。

事件が起きた「キャンプ・スコット」は、1928年以来、ガールスカウトアメリカ連盟が運営していた。鬱蒼《うっそう》とした森を切り拓いた広大な敷地内にテントサイト、大ホール、シャワー施設、スイミングプール、キャンプファイヤー場などを整備。毎年、8歳から18歳までの少女たちを対象に2週間のサマーキャンプが行われていた場所である。

その年のキャンプは6月12日に始まった。10あるうちのテントサイトの1つ、カイオワ・キャンプサ

殺害された少女たち。左からミケーレ・ギュセ（当時9歳）、ロリリー・ファーマー（同8歳）、ドリスデニス・ミルナー（同10歳）

上／1977年6月13日朝、少女3人は変わり果てた姿で発見された
下／少女たちが寝ていた「テント8」

イトに割り当てられたのは27人の少女と18歳から20歳までの3人の指導員。ミケーレ・ギュセ（当時9歳）、ロリリー・ファーマー（同8歳）、ドリスデニス・ミルナー（同10歳）の3人は、指導員のテントから一番遠い「テント8」に宿泊することになった。キャンプに参加した少女たちは森深い環境に最初は心細く思っていたようだが、新しい環境に慣れるにつれて気持ちが晴れ、夕立が上がった頃には、あちらこちらのテントから笑い声が響いていたという。

翌朝、指導員のカーラがアラーム音で目を覚ましたのは午前6時。少女たちが起きる前にシャワーを浴びようとスタッフ事務所に向かう途中、テントサイトを出る分岐点で何かが目に飛び込んできた。よくよく見ると、ドリスデニスの遺体である。カーラは驚き他の指導員を起こして少女たち

の点呼を行ったところ、テント8の他の2人がいない。急いでテントを確認すると、寝袋に入ったまま死んでいるロリリーとミケーレが発見された。

検視の結果、3人ともに性的暴行を受け、殴打され、絞め殺されたことが判明。テント内には指紋のついた懐中電灯やロープ、ガムテープなどが残され、犯行が計画的だったことがうかがえた。また、少女たちを縛ったロープの結び目が2種類あったため、複数犯の可能性も考えられた。

当夜の様子を目撃証言などから時系列に整理すると、

◉22時頃、カイオワの指導員が全てのテントをチェック。問題ないことを確認。別のテントサイトの指導員が、森の中をカイオワの方に向かう光を目撃。

◉午前3時頃、他のテントサイトの少女が悲鳴を聞き、別の少女が母親の名前を呼ぶ声を聞いた。

◉未明、「テント7」の少女たちが、夜中に男性がテントに光を当てたと証言。その男はテント8の方に向かった。


警察はほどなく重要容疑者の名前を公表した。ジーン・ハート（同34歳）。殺人とレイプ、強盗の罪で服役していたものの事件の4年前に脱獄。土地勘のあるキャンプ・スコット周辺に潜伏していると噂されていた。総力を挙げた山狩りの結果、8ヶ月後の1978年2月、ハートは友人の小屋に潜伏していたところを逮捕される。そのとき、事件当夜に別のテントから盗まれた女児の眼鏡をかけていることも判明し、誰もが彼を犯人と確信した。が、裁判でハートは無罪になる。DNA鑑定は1980年代まで導入されず、毛髪や精液などの遺留品があっても犯行の決め手にならなかったからだ。

305年の刑期が残っていたハートはオクラホマ州刑務所に収監され、1979年に心臓発作で死亡。1989年になって事件に関するDNA鑑定が行われ、少女たちが縛られたロープに残された毛髪のうち3本がハートのDNAと一致した。

後になって、事件発生の2ヶ月前、不気味な警告があったことが判明する。キャンプ・スコットでテントが荒らされドーナツが盗まれたのだが、そこに「近いうちにこのキャンプ場で、3人の女の子が殺される」というメモ書きが置かれていたのだ。誰かのイタズラとしてメモも破棄されたというが、もしこの件が公表されていたら、殺された3人はキャンプに参加していただろうか。

1978年2月、警察の8ヶ月に及ぶ捜索で逮捕された容疑者ジーン・ハート（1979年獄死）

イギリスに亡命した反体制作家をブルガリア内務省が暗殺!?

# ゲオルギー・マルコフ毒殺事件

ゲオルギー・マルコフ（1929年生）は、ブルガリア・ソフィア出身の作家である。1957年、国営の工業系企業で化学エンジニアとして働く傍ら執筆した冒険小説『摂氏の夜』でデビュー、1962年に発表した『男』が大ヒットし、売れっ子作家の仲間入りを果たす。

6年後の1968年、「プラハの春」が勃発する。共産党の独裁政権だったチェコスロバキアで起きた民主化運動が、ソ連を主体としたブルガリアやハンガリーなどのワルシャワ条約機構5ヶ国軍によって弾圧された事件である。自由を求めた人々を武力で制した行為に、ブルガリアの世論は反発。ブルガリア当局は、比較的大きな影響を与えそうな知識人を監視する特別部署を設置、マルコフもその対象となった。

政府とマルコフの対立があからさまになるのは翌1969年、彼が書いた風刺的戯曲が上演禁止になってからだ。その後、息抜きのつもりでイタリアの別荘へ出かけたマルコフは西側から情報を入手し、自分が危ない立場にあることを把握。そのままイギリスに亡命、執筆の傍らBBCワールドサービスなどでアナウンサーとし

ゲオルギー・マルコフ。死から22年後の2000年、ブルガリアの国家勲章では最高位のスタラ・プラニナ勲章を授けられた

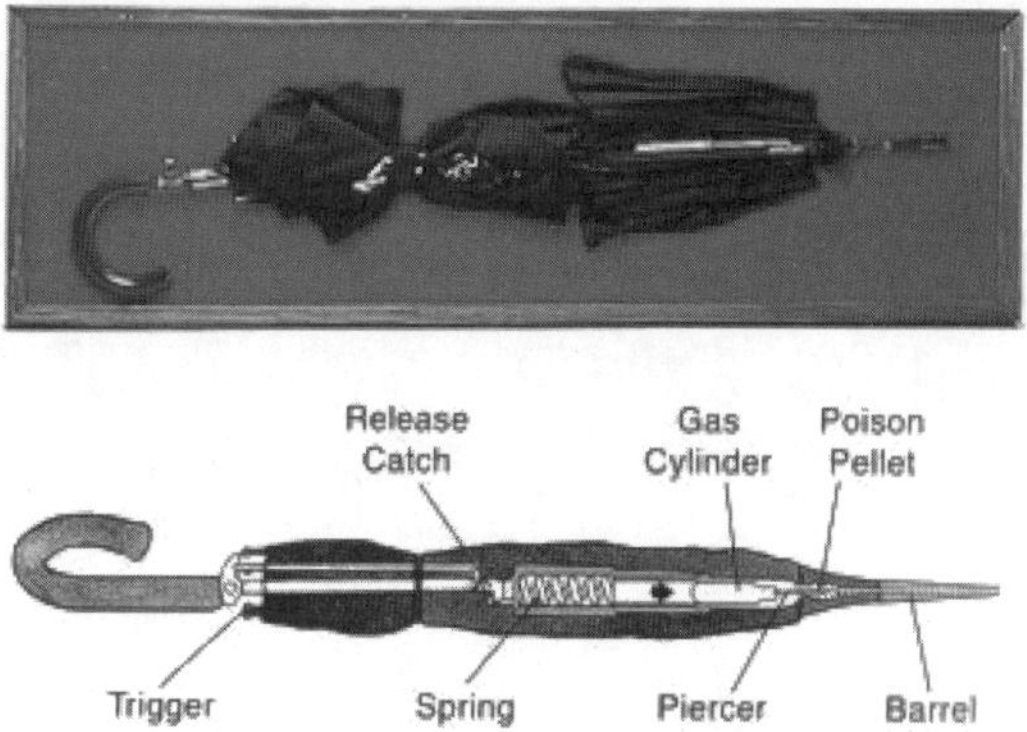


暗殺に使われたものと同じ、傘に偽装された銃

て働き始める。以降、彼はブルガリアの反体制派の代名詞となり、政府を批判するエッセイ『ブルガリアの不在者の報告』を発表。対し、政府は１９７２年、欠席裁判を行い、マルコフに西側逃亡の罪で懲役6年を言い渡した。

１９７８年9月7日、ロンドンのウォータールー・ブリッジを渡っていたマルコフは通りすがりの男性に右大腿部を銃撃される。傘に偽装した空気銃で弾丸を撃ち込まれたのだ。結果、敗血症とみられる症状を起こし、4日後の11日に衰弱死。イギリス当局は、マルコフの死を毒殺と断定した。弾丸の中にヒマの種子から取れるリシンという毒物が仕込まれていたことが明らかになったという。

その後の捜査で、事件の前年、パリの地下鉄で襲撃され奇跡的に助かったブルガリア人亡命者のウラジミール・コストフの体内から発見された弾丸と、マルコフに撃ち込まれた弾丸が一致。ブルガリア内務省の関与が疑われたが、実行犯は明らかにならないまま２０１３年に事件は時効を迎えた。

# 14年間にわたり赤毛の女性を殺しまくったのは…
# レッドヘッド・マーダーズ事件

1978年10月から1992年にかけて、アメリカ中西部から南東部の幹線道路沿いで赤毛の女性を狙った連続殺人事件「レッドヘッド・マーダーズ」が発生した。警察は、被害者たちはヒッチハイカーで、売春を行った可能性が高いと推察。しかし、一連の犯行が同一犯によるものなのか複数犯かも特定できず、被害総数も6人なのか11人なのか、もっと多いのかさえはっきりしておらず、多くは現在も身元不明のままである。

事件の最初の被害者とされるのが、1983年2月13日、ウェストバージニア州の250号線沿いで全裸遺体で見つかった白人女性だ。年齢は35～45歳と推定され、身長は168センチほど。地面には積雪があったが遺体の上には雪がなく、近くにタイヤ痕や足跡が見つかったため、被害者は別の場所で殺され、発見現場に運ばれてきた可能性が高いものと思われた。検視の結果、被害者は2日前に死んでおり、性的暴行は受けていないと判明。頭髪の色は鳶色で、1985年までにレッドヘッド・マーダーズと関係する可能性があるとみなされた。

2番目の被害者は、1984年9月16日、アーカンソー州ウェストメンフィス近くの州間高速道路沿いで絞殺死体となって発見されたリサ・ニコルズ（当時28歳）だ。赤っぽいストロベリー・ブロンドで、身に着けていたのはセーターだけ。彼女は幹線道路沿いのトラックサービ

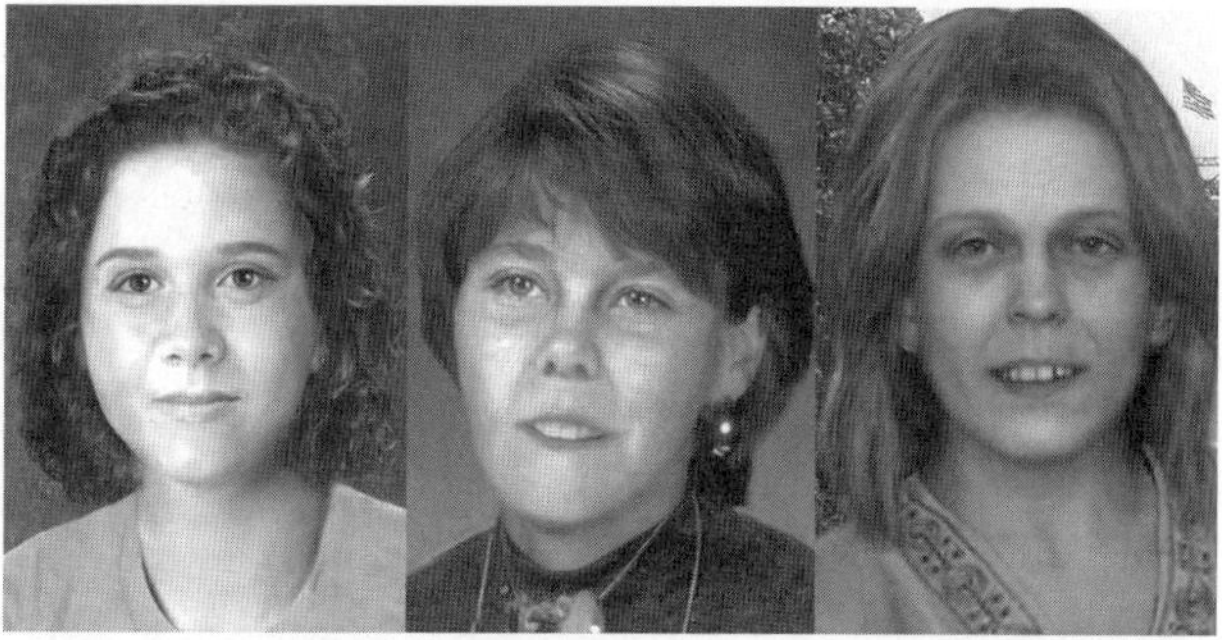

被害者たちの復元写真。左から、最初の被害女性。後にエスピー・ピルグリムと判明したケンタッキー州で殺害された被害者。1985年2月にミシガン州で発見された女性

スエリアでヒッチハイクし、運転手に殺害された可能性が高かった。その後も赤毛の女性の遺体が次々と見つかる。1985年の元日にテネシー州の州間高速道路75号線近くで絞殺遺体で発見された女性は妊娠中で、死後約72時間が経過していた。身元は2018年になり、FBIの指紋照合によってインディアナ州で失踪したティナ・ファーマー（死亡時21歳）と特定されている。

さらにその年の3月31日には、州間高速道路24号線の29番と30番のマイル標の間で白骨化した赤毛の女性が。そして翌4月1日にもケンタッキー州の25号線沿いで、大きな白い冷蔵庫の中から女性の遺体が出てきた。死因は窒息死で、2つの特徴的なペンダントを身に着けており、ラジオ局が情報を募ったところ、ノースカロライナ州を目指してヒッチハイクしていた女性ではないかとの目撃証言が寄せられた。身元はやはり2018年に明らかになり、被害者はノースカロライナ州のエスピー・ピルグリムと判明。行方を探していた子供とDNA鑑定の結果が

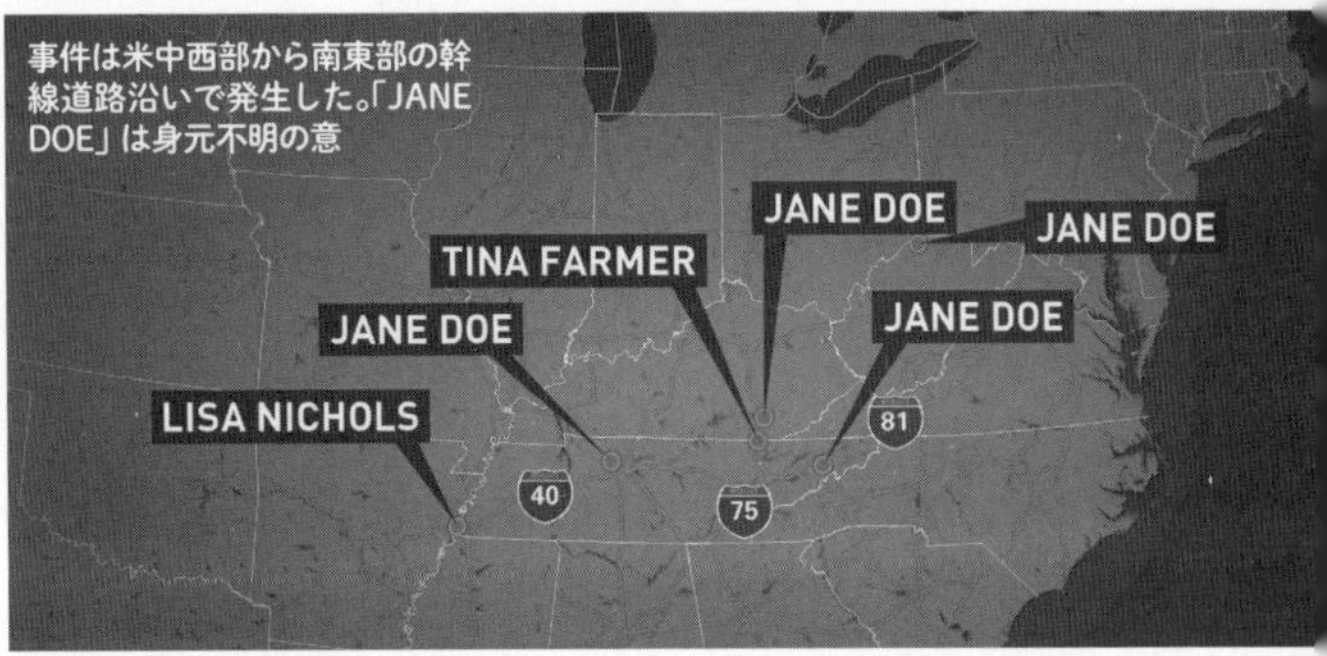

事件は米中西部から南東部の幹線道路沿いで発生した。「JANE DOE」は身元不明の意

一致したそうだ。

その後も4月14日に、テネシー州グリーンビルで若い白人女性の遺体が見つかる。死後3週間から6週間経過しており、年齢は14〜20歳。死因は鈍的外傷で、刺傷も致命傷になりえた可能性があった。悲惨なのは死亡前に流産していたことだ。警察が指紋やＤＮＡ、歯の治療情報の回収に成功したため身元特定が期待されたが、当時は失敗に終わり、身元が明らかになったのは、これまた２０１８年。当局は、彼女がニューハンプシャー州生まれのエリザベス・ラモットで、死亡時は17歳だったと発表する。

警察は全くのお手上げ状態だった。遺体が発見されたテネシー州やアーカンソー州、ケンタッキー州、ミシシッピ州、ペンシルベニア州の捜査官とＦＢＩが集まり、一連の事件が連続犯によるものか検討会を開催、いずれも絞殺、高速道路近くに遺体を遺棄する点で共通していることは認識したものの、「レッドヘッド・マーダーズ」と名づけられているわりに、明らかに髪が赤いのは3人だけ。他はピンク、ブロンドや黒色の髪で、被害者も全裸の場合と着衣のケース、性的暴行のありなしも様々で、結論は出なかった。

ただ、この事件で逮捕された容疑者が1人だけいる。トラック運転手のジェリー・ジョーンズ（1985年当時37歳）だ。1985年3月、赤毛の女性を襲って絞殺しようとし、相手が気を失ったのを死んだと思い込み幹線道路脇に放置。息を吹き返した女性が警察に駆け込んだことがきっかけだった。2015年、ジョーンズは獄中で死亡したが、翌年、FBIが1985年元日に発見されたファーマーの遺留品（被害者の衣服など）を再分析したところ精液が検出され、その後のDNA鑑定でジョーンズのものと一致したという。彼こそが「レッドヘッド・マーダーズ」の犯人なのか。FBIは現在も捜査を続けているそうだ。

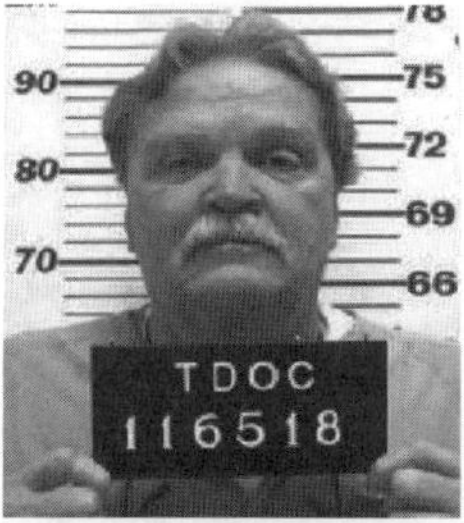


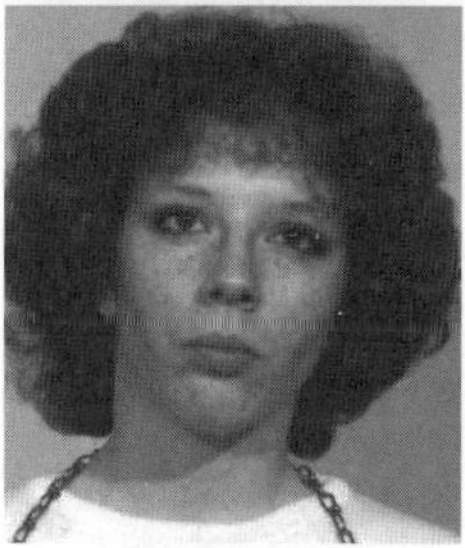

殺人未遂事件で逮捕されたジェリー・ジョーンズ（上）。獄中死の後、1985年元日に遺体で発見された女性（下。2018年、指紋照合により死亡時21歳のティナ・ファーマーと判明）を殺害していたことが明らかに

事件を扱ったノンフィクション小説

## 首を切り落とし闇に消えた正体不明の鬼畜

# オーチャードパーク連続殺人事件

１９７９年の夏から秋にかけ、米テキサス州ヒューストンの街は恐怖におののいた。正体不明の殺人鬼が次々５人の男女を惨殺する事件が発生したのである。

最初の被害者は、ヒューストン南西部にあるオーチャードパークのアパートに住む女性秘書のアリス・ランキン（当時33歳）。7月27日朝、同僚が彼女を迎えに部屋を訪れ、ランキンの変わり果てた姿を発見する。足を縛られて性的暴行を受け、おぞましいことに首から頭部が切断されていた。警察の調べで、犯人は切り落とした頭部をいったん床の上に置き、駐車場に運び、そのまま車で持ち去ったことを示す血痕が見つかった。

２週間後の8月10日、ランキンと同じアパートの２階上に住む銀行員のメアリー・カルカッタ（同27歳）が殺される。バスルームで性的暴行を受け、彼女の部屋にあった包丁で何十回も刺され喉が張り裂けていた。カルカッタはまだ長距離電話が高価なこの時代に週に１度は実家に電話をかける家族思いの娘で、

2人の女性が殺害されたオーチャードパークのアパート

ランキン事件が起きたことで怯えており、知らない人が訪ねてきてもドアは開けないようにすると話していたそうだ。そして同じ日、もうひとつの遺体が見つかる。被害者は市内南西部のタウンハウスに住む害虫駆除業者の会社員のドリス・スレッドギル（同27歳）で、首をほとんど切り落とされていた。

カルカッタの家族は1万ドル（現在の価値で約250万円）の報奨金をかけ情報提供を呼びかけたが、犯人につながる手がかりはつかめず、警察の捜査が進展しないうちにさらなる惨劇が起きる。10月3日、スレッドギル家からほど近い場所で、銃声と若い女性の助けを求める悲鳴を聞いたと通報が入った。警察が駆けつけると、16歳の女性ジョアン・ホフマンが帽子をかぶった男に髪の毛を引っ張られて車に乗せられるのを隣人が目撃したのだという。警察の調べで、ホフマンの自宅前に血痕が残っていることもわかった。果たして彼女は翌日、地元の公園で遺体で見つかる。死因は銃撃による失血死。さらに数キロ先で血まみれの車が発見され、トランクにはホフマンのボーイフレンド（同18歳）が斬首された状態で詰め込まれていた。残念なことに、いずれのケースも容疑者は検挙されていない。

2番目の被害者のメアリー・カルカッタ（上。当時27歳）と3番目の被害者ドリス・スレッドギル（同27歳）

## 捜査に行き詰まった警察が被害者宅の隣人男性を誤認逮捕

# 大分みどり荘事件

1981年6月27日、大分県大分市内のアパート「みどり荘」で、大分県立芸術文化短期大学に通っていた当時18歳の女性Aさんが何者かによって姦淫後、殺害される事件が発生した。

この日、彼女は所属する音楽サークルのコンサートに出席。終了後の打ち上げに参加していた。22時30分頃、会が終わるとAさんは他の女子学生3人と一緒に1人の男子学生に送ってもらい帰宅。自宅アパート付近の交差点で彼らと別れたのが23時15分頃だった。

この音楽サークルには同じ短大に通うAさんの姉も所属し、打ち上げにも一緒に参加していた。が、姉は2次会へ出かけ、妹と住むアパートに帰り着いたのは深夜0時30分頃。室内に入り台所で横たわる妹を発見、すぐさま近くに住む友人に助けを求め、その友人が公衆電話から警察に通報した。しかし、警察が駆けつけたときすでにAさんは死亡していた。検視の結果、死因は首を絞められての窒息死と判明。発見時、AさんはTシャツを胸までめくられ、下半身は裸の状態だった。

被害女性が通っていた大分県立芸術文化短期大学

警察は付近の住民へ聞き込み捜査を行い、特にみどり荘に住む唯一の男性で、Aさん姉妹の隣室で暮らしていた輿掛《くつかけ》良一《りょういち》さん（当時25歳）に執拗な事情聴取を実施。事件当夜は酒を飲んで寝ていたので何も覚えていないと繰り返す輿掛さんに、下着や毛髪を提出させ、さらには彼の体に残された傷の写真撮影を行った。

1995年6月、逆転無罪の判決に笑顔を見せる輿掛良一さん。事件発生から14年が経過していた

1982年1月、輿掛さんが逮捕され取り調べで犯行を自供する。が、裁判途中から、自白は警察に強要されたものとして無実を主張。第1審では、自白と科学警察研究所（科警研）の毛髪鑑定などから無期懲役の有罪判決が出たものの、続く控訴審では、事件現場に残された犯人の毛髪が直毛なのに対し、当時パンチパーマだった輿掛さんと一致しないなどの矛盾が指摘され、1995年6月、無罪判決が下された。検察は上告を断念、輿掛さんの無罪が確定する。

捜査に行き詰まった警察が作り上げた冤罪事件。では、真犯人は誰なのか。すでに公訴時効が成立している今、それを知る術はない。

列車のコンパートメントで謎の人物に刺殺された26歳

# デボラ・リンズレー殺害事件

1988年3月23日、英ロンドンの南東端にあるオーピントン駅からヴィクトリア駅行き14時16分発の列車の中で1人の女性が殺害された。被害者はデビーことデボラ・リンズレー。エジンバラ市のホテルに勤めるロンドン生まれの26歳だ。

ホテル経営の研修を受けるためロンドンを訪れたデビーはこの日、実家や兄の家を訪れた後、兄の車で駅まで送ってもらい、6人がけのコンパートメント（個室型車両）に乗り込む。他の乗客が、座席でタバコを吸ったりサンドイッチを食べる彼女の姿を目撃していた。14時50分、列車がヴィクトリア駅の第2プラットホームへ到着。駅員が列車内を見回ると、デビーが床の血だまりに倒れていた。顔や首、胸、腹部などを繰り返し刺されており、致命傷となったのは心臓への一突きだった。

70人いた乗客からは多数の目撃証言が寄せられた。ある乗客は、ブロンドで薄いジャケットを着た30歳前後のずんぐりした男性が、デビーがいた辺りのコンパートメントに入っていった

犠牲者、デボラ・リンズレー

のを見ており、同じ人物と思われる男性がヴィクトリア駅で列車から飛び降りたのも目撃されていた。また、フランス人のカップルはブリクストン駅を出てすぐに車両の方から悲鳴と2分間ほどの騒音を聞き、女性が襲われていると思ったにもかかわらず、見に行くどころか、車掌に連絡もしなかったそうだ。

血だらけの被害者が倒れていた列車のコンパートメントを調べる警察

警察は証言を手がかりに捜査を展開。1千200人以上に聞き込みを行い、650人にのぼる参考人に尋問したものの、犯人逮捕には至らない。が、望みはあった。デビーがあちこちに防御創を作りながらも必死に抵抗し、相手にも傷を負わせ、現場に自分のものではない血痕を残していたのだ。

当時は科学捜査の精度が低かったため、警察は犯人の血液を採取していったん保管。DNA鑑定の技術が確立された2002年、さらに2013年に前歴者のデータと照合させたが、誰とも一致しなかった。では、犯人は前科のない人間なのか？　事件は今も迷宮入りしたままだ。

## カーテンに火を付けられ客と従業員15人が死亡

# 長崎屋尼崎店放火殺人事件

1990年3月18日、兵庫県尼崎市の地上5階・地下1階の大型スーパーマーケット「長崎屋尼崎店」で火災が発生した。火の手があがったのは午後12時30分頃。4階カーテン売場が火元で、そばにいた定員らが消火器などで消そうとしたが、火の勢いに押され断念。119番通報によりおよそ10分前後で消防隊が到着した頃には、すでに4階は全フロアが炎に包まれていた。

4階と下の階の客が従業員らの誘導で避難する一方、5階にいた客と従業員22人が逃げ遅れてしまう。1970年に開業した店にはスプリンクラーこそ設置されていなかったものの、火災報知機をはじめ、防火扉、避難通路が設けられ、消防機関による「適マーク」が交付されていた。が、階段や避難通路にはテレビなどが入った在庫の段ボールが積み上げられていたため防火扉がきちんと閉まらず、煙を上の階に逃がす原因になった。後にこの件は尼崎市消防局が5度にわたって指導していたことが明らかになっている。また、火災が発生する前年に消防訓練を2度実施していたが、普段から火災報知器の誤作動が多発していたため、従業員の初動対応が遅れたことも大きな火災になった要因のひとつだった。

4階と5階の間で防火扉が閉まらず、猛煙とともに大量の化学繊維が燃焼したことによる有毒ガスも上階へ流れ込む。5階にいた22人のうち、階段で避難した1人。事務室や従業員食堂の窓から救出された4人。さらに飛び降りた2人も命には別状がなく、従業員食堂に逃げ込んだ15人が命を落とす。死因はいずれも一酸化炭素やシアン化水素などの有毒ガスによる中毒死だった。

兵庫県警は、検証結果から出火原因を不審火（放火）と断定。火災発生から約2ヶ月後には、店内や外部での目撃証言などから作成した不審人物6人の似顔絵を公開し、1千900人以上の捜査対象者を調べた。が、犯人像や動機の解明につながる遺留品もなく、捜査は難航。容疑者の検挙には至らず、2005年に公訴時効を迎えた。

煙に包まれる長崎屋尼崎店

長崎屋尼崎店は火災発生直後から無期限の休業となり、そのまま1990年11月に閉鎖。1993年には建物も解体され、元店長ら2人は防火対策・避難誘導訓練を怠った業務上過失致死傷罪により禁固2年6月・執行猶予3年の有罪判決に処された。この火災以降、尼崎店があった尼崎中央商店街では毎年3月18日を防災の日として消防訓練が行われているそうだ。

## 事件から8年後、容疑者4人が逮捕されたが…

# ヨーグルトショップ殺人事件

1991年12月6日金曜日の23時45分頃、米テキサス州オースティンの街をパトロール中の警官がヨーグルトショップから火が出ているのを発見。10分足らずで到着した消防隊によって鎮火された店内には、少女たちの裸の遺体が残されていた。

被害者は、店のスタッフだったエリザ・トーマス（当時17歳）とジェニファー・ハービソン（同17歳）、ジェニファーの妹サラ（同15歳）とサラの友人のエイミー・エアーズ（同13歳）の4人と判明。彼女たちは23時の閉店後、一緒にパジャマ・パーティに出かける予定だった。が、何者かによって縛られ、猿ぐつわをつけられ、頭を撃たれたうえで燃やされてしまう。後の調べで、しばらく息のあったエイミーが身を起こし、必死に逃げようとした痕跡があったことがわかっている。

警察は現場からいくつかの薬莢《やっきょう》を回収する一方、12万5千ドルの報奨金をかけて広く情報の提供を募ったが犯人につながる有力な手がかりは皆無。捜査が完全に暗礁に乗り上げた8年後の1999年、突如、ロバート・スプリングスティーン（事件当時17歳）、マイケル・スコット（同17歳）、モーリス・ピアス（同16歳）、フォレスト・ウェルボーン（同15歳）の4人を強盗殺人の容疑で逮捕した。が、裁判は二転三転する。犯行を自供していた被疑者たちが高圧的取り調べを受けたと主張したため、担当の捜査員が辞職に追い込まれたり、証拠が不完全だったりした結果、２人は不起訴。殺人罪に問われた２人も２００９年に無罪判決を受けて釈放されてしまう。警察は、少女の遺体から採取した犯人の体液をＤＮＡサンプルとして保管するくらいしかできなかった。

その後アメリカでは、「家族検索」と呼ばれる新しいＤＮＡ鑑定法が開発され、男性親族特有のＤＮＡを特定することが可能になる。例えば、ロサンゼルスで少なくとも10人の若い女性を殺害した犯人の捜査過程でこの鑑定を使い、国のデータベースと照合したところ、服役中の囚人のデータと一致。結果、その囚人の父親が殺人犯であることが判明した。そこで、ヨーグルトショップの事件を捜査していたオースティン警察が２０１７年、事件のサンプルを国のデータベースに入力したところ、一致するデータが見つかった。ついに、事件解決と思いきや、驚きの展開が待っていた。データ元のＦＢＩが、匿名で提供されたものなので、個人情報保護の観点から身元を明かせないというのだ。優先すべきは事件解決か個人情報保護か。以後、３年にわたって議論が続いているという。

殺害された少女たちの写真とともに情報提供を呼びかける看板

ヤクザに食い物にされた銀行幹部の悲劇

# 阪和銀行副頭取射殺事件

1993年8月5日午前7時50分頃、阪和《はんわ》銀行（和歌山県を本拠地としていた地方銀行）の副頭取、小山友三郎氏（当時62歳）は、いつものように自宅に迎えに来たハイヤーに乗り込んだ。すると突然、白いヘルメットにサングラス姿の中年男が近づき、「部長！」と叫んでピストルを3発発砲して逃走。銃弾を受けた副頭取はその場で死亡した。

和歌山県警の捜査が実らず事件から3年が経過した1996年11月、阪和銀行は経営破綻し倒産に追い込まれる。このとき当局が入手した資料の中に「特殊案件貸し出しリスト」が含まれ、廃業直前まで暴力団や右翼団体などに総額14億5千万円の不正融資を重ねていたことが発覚。「ヤクザの貯金箱」と呼ばれるようになっていた実態が明らかになり、翌1997年には同行の橋本元頭取らが特別背任容疑で逮捕された。

そもそも同行が転落するきっかけは1991年に『SEIKAI』なる月刊誌に経営陣への批判や当時の福田秀男頭取の長男、福田文七郎常務の私生活についての暴露記事などが掲載されたことにある。銀行側が発行元の出版社を相手取って損害賠償を求める民事訴訟を起こすと、同誌はインサイダー取引疑惑を指摘するなど、事態は泥仕合の様相を呈していく。

その頃、頭取の甥にあたる橋本副頭取（当時）と長男の福田常務、また従兄弟の小山専務（当時）が経営権を巡って互いに反目していた。掲載された記事について橋本副頭取は小山専務が自分の失脚を狙って出版社にリークしたと推測していたといわれる。そこに地元の暴力団や不動産会社が介在、記事の差し止め工作を行ない見返りに融資を求めるというのが闇勢力側のシナリオだったようだ。

1992年5月、小山専務、暴力団組長、不動産会社社長、出版社社長が一堂に会し、損害賠償請求訴訟の取り下げを条件に、連載記事中止が決定した。ところが福田常務は訴訟取り下げを拒否。さらに頭取に就任した橋本氏も見返り融資に消極的で、副頭取に昇格した小山氏は完全に約束を反故した形になった。小山氏が率先して不正融資を重ねたものの、先方にとっては裏切り者に見えたのだろう。射殺事件が起きたのは、そんなときだった。ちなみに、特別背任罪の橋本元頭取とともに、不正融資先の不動産会社社長や暴力団組長らも逮捕されたが、起訴されたのは橋本元頭取だけ（懲役2年・執行猶予3年）。射殺事件の犯人も不明のままだ。

白昼堂々の射殺事件に日本中が震撼した

# 千葉市都立高校教諭強盗殺人事件

## 空き巣に出会い頭に包丁で刺されて絶命

1997年2月8日20時30分頃、千葉市若葉区みつわ台の自宅庭先で、東京都立小岩高等学校に勤める男性教諭（当時60歳）が、ジャージ姿でうつぶせに倒れ、血まみれで死んでいるのを帰宅した妻（同57歳）が発見した。殺人事件として捜査を開始した千葉県警は、浴室の窓の格子が外され、家の1、2階ともタンスの引き出しが開けられるなど物色された跡があったことから、犯人は盗み目的で家屋に侵入、当日休みで家にいた教諭と出くわし殺害に及んだものと推測した。

助けを求めようとしたのか、被害者はサンダル履きで手には電話の子機を持ち、そばに犯人が持ち込んだとみられる血のついた柳刃包丁が落ちていた。室内に血痕があったことから、自力で庭まで出て、刺さっていた包丁を引き抜いたところで力尽きたようだ。また、遺体の左胸に刺された痕があったものの防御創はなく、捜査関係者はスレ違いざまに顔も見ないまま殺害されたのではないかと推測。状況から犯行時間は午前11時頃とみられた。ちなみに、被害者は事件の1ヶ月後の3月、生徒の卒業とともに自身も定年退職を控えていたそうだ。

千葉県警は近所の人たちに聞き込みし、目撃証言などをもとに、犯人と思しき不審者の特徴を「年齢20～35歳の男性、身長170センチぐらい、丸顔、色白、頬がしもぶくれの感じ」「黒色帽子、黒色トレーナー上下」として、似顔絵や走り去る後ろ姿の絵を県警のホームページ上

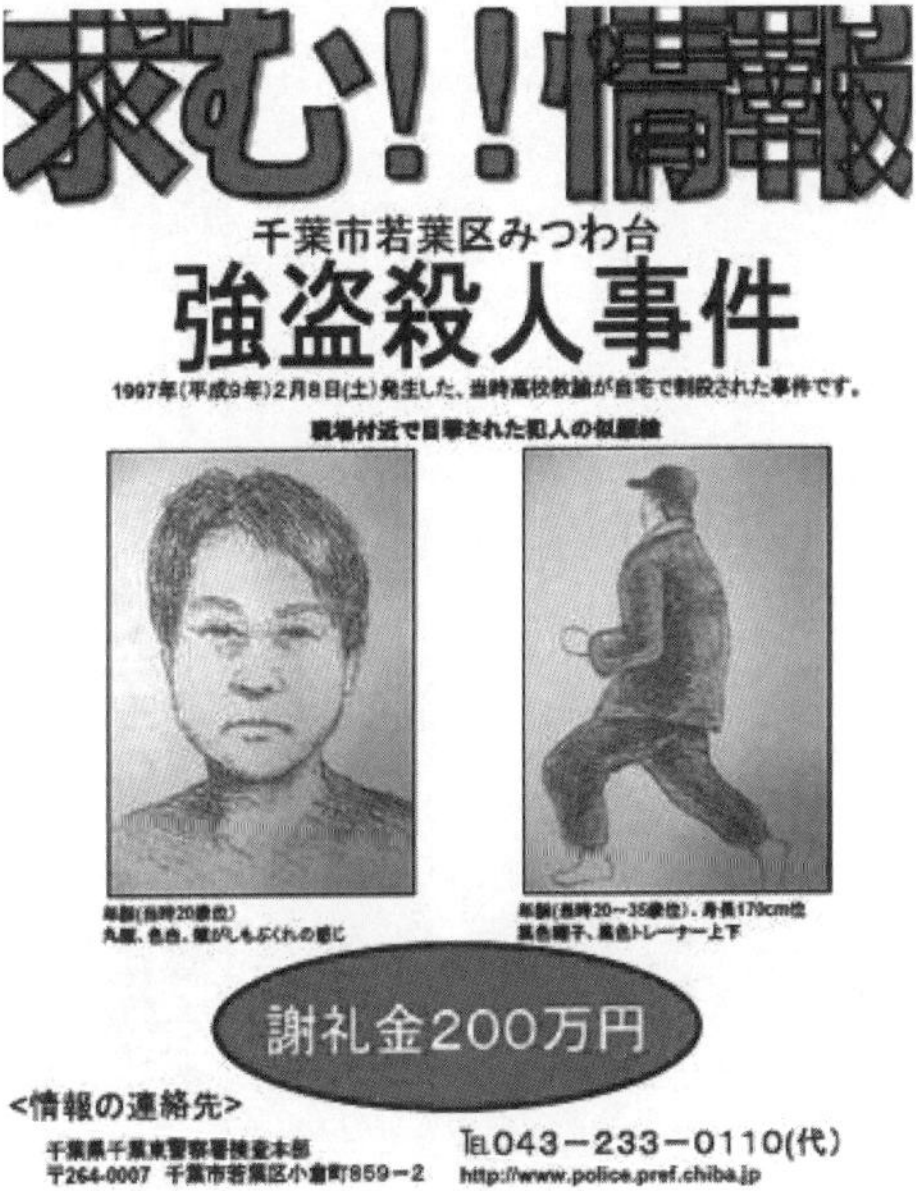
求む！！情報
千葉市若葉区みつわ台
強盗殺人事件
1997年(平成9年)2月8日(土)発生した、当時高校教諭が自宅で刺殺された事件です。
現場付近で目撃された犯人の似顔絵
年齢(当時20歳位)
年齢(当時20～35歳位)、身長170cm位
黒色帽子、黒色トレーナー上下
謝礼金200万円
<情報の連絡先>
千葉県千葉東警察署捜査本部
〒264-0007　千葉市若葉区小倉町859－2
TEL043－233－0110(代)
http://www.police.pref.chiba.jp

千葉県警は、不審者の似顔絵を織り込んだチラシを広く配布し情報提供を呼びかけている

やビラに掲載し、広く情報提供を呼びかけた。が、確実なのは男性だったということと、室内に残された足跡が24センチということだけ。未だ犯人につながる手がかりは見つかっていない。

千葉県警は、この事件をはじめ未解決事件の捜査は、捜査1課内に特別班を設けており、10人態勢で継続捜査を実施。当事件は「捜査特別報奨金制度」に指定され、犯人逮捕につながる情報を提供した者には謝礼金として200万円が支払われることになっている。また、当事件の公訴時効は2010年施行の改正刑事訴訟法で廃止されている。1日も早い犯人逮捕が待たれるところだ。

# 防犯カメラに映った白い帽子にサングラスの中年男
# 川崎信金猟銃強盗殺人事件

1999年9月16日15時頃、白い帽子にサングラス、マスク姿の小柄な男が、閉店のために通用口を閉めようとしていた男性職員に細長い布袋状のものを突きつけ、川崎信用金庫遠藤町支店（神奈川県川崎市幸区）に押し入ってきた。男はパンチパーマが伸びたような髪形で、年齢は40〜60歳くらい。職員が「もう時間です」と応じたところ、いきなり天井に向けて発砲。布袋に隠されていたのは狩猟に用いる自動式散弾銃だった。

そのまま接客フロアがある2階へと階段を駆け上がろうとした男は、銃声を聞いて2階から様子を見に下りてきた副長（当時53歳）と鉢合わせとなり、再び天井に向けて引き金を引く。と、副長は果敢にも男に近寄ってもみ合いになりながら店外へと押し出したそのとき、男が3メートルほどの至近距離から副長に向けて発砲。散弾は右腹部に命中した。その後、男は何も盗らずに散弾銃

猟銃を持って押し入った男の防犯カメラ画像

チラシを配布して情報提供を呼びかける神奈川県の警察署員

を持ったまま逃走。副長はヘリコプターなどで川崎市内の病院に救急搬送されたが、事件から約5時間後の19時52分、出血性ショックのため亡くなった。

神奈川県警は現金目的の強盗殺人事件とみて、285人態勢で特別捜査本部を設置。散弾銃から男を割り出すため、発射時に薬莢に刻まれた「閉塞壁痕」を基に1万丁を超える散弾銃を1つ1つチェックしたが、空振りに終わる。さらに、捜査員が直接出向いたり、全国の警察に照会をかけるなどしてしらみつぶしに確認したものの該当なし。また、銃の捜査と並行して、逃走に使われた盗難車に残された髪の毛や食べ残しなどの遺留品や、パンチパーマの髪形から暴力団関係者の線も洗ったが、いずれも男の特定には至っていない。

神奈川県警は銀行の防犯カメラに残された犯人の画像を公開。2021年10月現在も、犯人逮捕に向け捜査を継続中である。

## 新たな殺人事件の容疑者とDNAが一致。迷宮入りから解決か？

# デイトナビーチ連続殺人事件

2005年から2007年にかけ、観光地として人気のある米フロリダ州のデイトナビーチで、4人の女性が犠牲となる連続殺人事件が発生した。

事の始まりは2005年12月26日、ラケッタ・ガンサー（当時45歳）が全裸遺体で見つかった。抵抗できないように拘束したうえで至近距離から頭を撃つ、いわゆる「処刑スタイル」の手口で、現場からは犯人のものと思しきDNAが採取された。2人目の被害者は翌年1月に発見されたジュリー・グリーン（同34歳）で、翌月さらにイワナ・パットン（同35歳）も殺害遺体で見つかる。3人が同じ手口で殺害され全裸で放置されていたこと、1人目と3人目の現場に残されていたDNAが同一のものだったこと、現場で見つかった薬莢から3人に同じピストルが使われた可能性が高いことなどから警察は同一人物の犯行と断定。また、全員が体を売っていたことから、娼婦を狙った連続殺人事件として捜査を開始した。

2008年1月、4人目の犠牲者が発見される。3人と同じ手口で殺害されたステイシー・ゲージ（同30歳）。ただし、この被害者はドラッグに手を出していたものの娼婦ではなかった。捜査は難航し、迷宮入りかと思われたが、2019年になって事態は動く。9月15日、デイトナビーチからそう遠くないウェストパームビーチの警察が、2016年3月に遺体で見つかった女性レイチェル・ベイに対する殺人容疑でロバート・ヘイズ（同37歳）を逮捕。そのDNA

一連の事件で殺害された被害者たち。上段左からレイチェル・ベイ、イワナ・パットン、下段左からジュリー・グリーン、ステイシー・ゲージ、右側ラケッタ・ガンサー

が、1番目と3番目の事件現場から回収されたDNAと一致し、拳銃の弾道テストでも3番目の事件と合致したのだ。

　2020年9月現在、ヘイズは2005年と2006年に殺害された3人および2016年の事件に対する第一級殺人で起訴され、係争中だ。検察はヘイズの死刑を求めているが、果たしてどんな判決が下るのだろうか。

〝デイトナビーチ・キラー〟として恐れられたロバート・ヘイズ。現在、係争中だが余罪は他にもあるとみられている

## 容疑者として逮捕された友人知人の3人が全員無罪に

# 弁護士ロバート・ウォン殺害事件

2006年8月2日、米ワシントンD・C・の弁護士ロバート・ウォン（当時32歳）は仕事で遅くなったため、車で自宅に帰るのをやめ、弁護士仲間で大学時代の友人ジョセフ・プライスの家に泊めてもらうことにした。プライスはカミングアウトしている同性愛者で、主に同性愛者の権利問題を扱い、2人のゲイの男性、ビクター・ザボルスキーとディラン・ウォードと同居していた。ウォン自身はゲイではなかったが、同性愛者に対して何の偏見も持っていなかった。

ウォンが、プライスの家に到着したのが22時30分頃。その1時間後、事件は起きる。ウォンが何者かに刺され、通報で駆けつけた救急隊員が、2階の寝室に横たわるウォンの遺体を発見したのだ。胸と腹の3ヶ所に刺し傷があるものの、頭の下に枕が置かれ、シーツも清潔で、ベッドには抵抗した痕跡も全くない。また、ベッド横のテーブルに血まみれのナイフが置かれているにもかかわらず、遺体に血痕は皆無。さらに詳しく調べたところ、腕に説明

被害者のロバート・ウォン。32歳にして仕事で成功、美しい妻と幸せな生活を送っていた

真っクロな3人。左からビクター・ザボルスキー（マーケティング会社副社長）、ディラン・ウォード、ジョセフ・プライス（著名企業の法務顧問）

のつかない7個の針痕があり、性的暴行を受けた形跡もあることもわかった。

事情を聞かれた3人は、自分たちが寝ている間にウォンが殺されていたので彼の体を洗って2階に寝かせたと供述した。が、誰の目にも彼らが容疑者なのは明らか。捜査の結果、3人の家にはSM関連のグッズが多数あり、ウォンが物理的に拘束されたうえでこれらの道具を使用されたこと、さらには血のついた服を洗濯機で洗っていたこと、ウォンの腕にあった針痕がある種の薬物を使用した注射痕であることも判明した。

充分過ぎるほどの証拠が揃っていた。が、容疑者たちはゲイコミュニティで有名なメンバーなうえに、社会的にも成功しており、自信満々で裁判に臨みウォンを殺したのは侵入者だと一貫して主張。果たして、全員が無罪となった。納得できないウォンの妻がその後起こした民事訴訟では、3人が証言を拒否。結局、示談が成立し、男たちは自宅を売り払うなどして金を工面し、ほとんどの財産を失った。妻は得た金をウォンの家族と母校ペンシルベニア大学ロースクールに分配。市民に法的援助を提供するプロジェクトに使われるというが、なんとも納得がいかない結末である。

# 京都精華大学生通り魔殺人事件

## マンガ家を目指していた学生を刺殺し、現場から逃走

２００７年１月15日19時45分頃、京都精華大学マンガ学部マンガ学科１年生の千葉大作さん（当時20歳）が、大学から自転車で帰宅途中、男に刺された。直後に通行人が発見した際には意識があり、刺されたことを伝えたうえで警察へ通報を頼んだという。が、市内の病院に搬送された約１時間20分後に死亡。死因は失血死。胸、腹、背中、太腿の裏側など十数ヶ所を刺されていた。

現場は、叡山《えいざん》電鉄鞍馬《くらま》線木野《きの》駅南の閑静な住宅街で、第一発見者の通行人は、千葉さんが「知らない人に刺された」と話していたと証言。この通行人は歩道に隣接した畑で倒れていた被害者のそばにしゃがみこんだ男がいたのも目撃しており、不審に思って約30秒後に引き返したところ、男の姿は消えていたそうだ。

犯人は、灰色のスウェット（後に黒っぽい上着ということになった）、黒いズボン。前出の通行人が最初に見たときは男の隣に黒っぽいママチャリがあったが、自転車は男の姿とともに消えていたらしい。また、現場には被害学生の白い自転車、携帯電話、リュックサックなどが放置され、リュックの中には現金入りの財布がそのまま残されていた。

被害に遭った千葉さんはプロのマンガ家を目指していた

被害者の千葉さんは当日、講義終了後の19時40頃、大学構内の駐輪場で友人2人と別れ、自転車で別の友人宅に向かう途中、事件に遭遇していた。サドルの変形具合から、自転車にまたがったまま約1・5メートル下の畑に転落。男は追いかけるように畑に降り、抵抗できない彼を小型ナイフでメッタ刺しにしたらしい。その後、千葉さんは自力で歩道に這い上がり、自分の携帯電話で通報しようとしたものの力尽きたようだ。

現場で千葉さんと一緒にいた犯人と思しき男の姿は複数が目撃しており、身長175センチぐらいの中肉で、おかっぱ風のボサボサ髪を真ん中で分けていたそうだ。靴はアウトドア用の外国製と思われ、サイズは28センチ以上。またある目撃者は、男が自転車にまたがる千葉さんの前に立ち、一方的に言いがかりをつけるように何かを言い募っていたと証言している。さらに、歩道で手を広げて首や上半身を左右に振るような動作で、下の畑に倒れる千葉さんに「あほ！」「ぼけ！」などと怒鳴っていた姿を目撃した人もいて、男は目の焦点が合っていないように見えたという。

おそらく自転車が邪魔になったなどの些細なことでトラブルになり、男が逆上したのだろう。京都府警の捜査本部は男の似顔絵を公開。300万円の報奨金をかけて、現在も犯人逮捕につながる情報の提供を呼びかけている。

捜査本部が公開した犯人の似顔絵と特徴

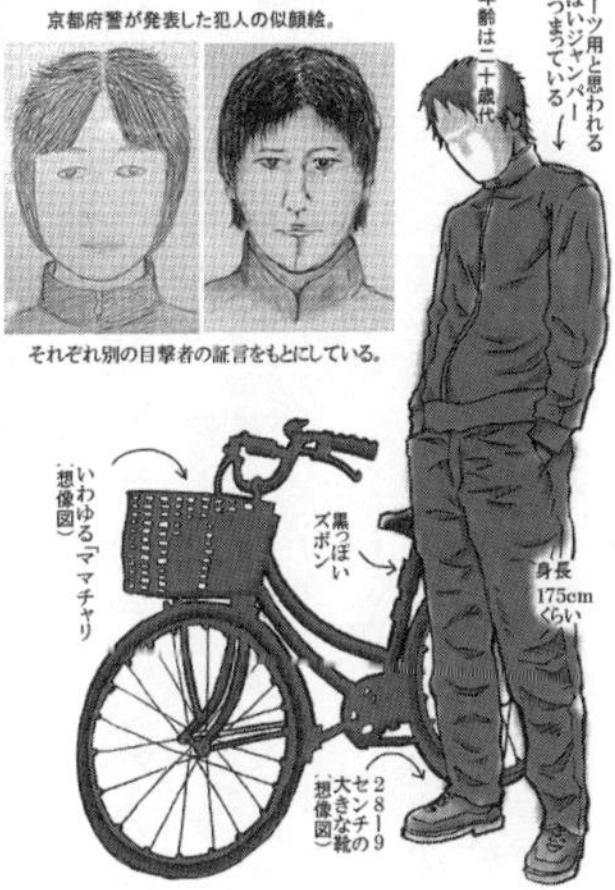

京都府警が発表した犯人の似顔絵。
それぞれ別の目撃者の証言をもとにしている。

## 同性愛者13人を銃殺。自供した犯人はなぜか無罪に

# レインボー・マニアック連続殺人事件

ブラジルのサンパウロは、世界最大の「ゲイ・プライド」（同性愛者など性的マイノリティの権利擁護を訴えるデモ行進）が行われる場所である。2007年から2008年にかけ、この街でゲイの男性13人が殺害される事件が起きた。

犯行の舞台となったのは、サンパウロ州南部のカラピクイバ市にあるパトリス公園。ここは〝ハッテンバ〟（ゲイの出会いの場所）として有名なスポットで、メディアは犯人を「レインボー・マニアック」と呼称する。レインボーは、ゲイコミュニティの多様性を表すシンボルカラーだ。

2007年7月4日、女装家のホセ・エンリケ（当時32歳）が公園の草むらで、うつ伏せのままパンツを膝までさげた格好で後ろから頭を撃たれて死んでいるのが発見された。以後、12人の男性が公園で殺され、

犯行の舞台となったパトリス公園

うち9人はエンリケと全く同じ手口が使われた。被害者の年齢は、20〜40歳。最後に発見された遺体は全身に殴打された痕があり、12ヶ所も銃で撃たれていたという。犯人はブラジル人に人気のSNS「オーカット」を利用して被害者と会う約束を取り付け公園で待ち合わせた可能性が高く、ゲイ嫌いの人物による犯行と推測された。

警察は毎夜、公園をパトロールするなど地道な捜査を続け、2008年12月、スーパーの警備員で元警官のジャイロ・フランコ（同46歳）を容疑者として逮捕する。フランコが、2007年10月に殺害されたパメラ・ペイショート（同27歳）とモーテルに入るのを目撃したという証言が決め手となった。さらには、フランコが頻繁に公園を訪れては、明らかに獲物を狙っていたとの情報も寄せられていた。

フランコは常々、同性愛者を「殺したい」と公言し、取り調べでも7人を殺したと供述。犯行に同じ銃が使われていたこともわかっている。にもかかわらず、2011年8月、陪審員は無罪を決定。フランコは再び野に放たれた。

容疑者として逮捕されたジャイロ・フランコ。証拠も自供もあったが無罪に

## 薄緑色の目出し帽を被った不審な男性が現場から逃走

# 代々木一丁目書店事務所内強盗殺人事件

２００７年12月10日21時頃、東京都渋谷区代々木一丁目のビル３階「金港堂書店」の事務所内で、店長の磯島護さん（当時51歳）が血を流し倒れているのを、同書店社長が発見した。社長はビル４階の自宅におり、階下から「ドン」という大きな物音を聞き慌てて駆けつけ、変わり果てた磯島さんの姿を発見。直ちに警察に通報したが、鈍器のようなもので頭を殴られていた様子の磯島さんは二度と意識を取り戻すことはなく、搬送先の病院で13日後に死亡した。

警察の調べによると、当日、店長は閉店後に書店店舗から道路を挟んで向かいのビル３階にある事務所へ売上金の入った手提げ金庫を運び込んでいたところ何者かに襲われ、約９万８千円の入った金庫を奪われていた。ただ、事務所内に争った形跡がなかったことから、犯人は事務所内で待ち伏せしており、店長が事務所に入った直後に殴りつけたとみられた。

警視庁は強盗殺人事件として捜査を開始。現場に駆けつけた社長の娘から、薄緑色の目出し帽のようなものを被り灰色のジャンパーを着た身長１７０センチ程度のがっちりした体型の男が事務所の階段から逃走するのを目撃したとの証言を得る。捜査本部は、この男が事件に関係しているとみて行方を追ったが、特定には至らなかった。

金港堂書店（事件から３年後の２０１０年６月閉店）は毎日、閉店時間を過ぎると店の外を通って手提げ金庫を事務所へ運んでおり、外部からでもわかるその手続きは安全にはほど遠かった。実際、同書店の事務所は事件のあった前月、２００７年11月にも空き巣被害に遭っている。窓ガラスが割られ、据え付けの金庫がベランダまで移動。ダイヤルも回されていたが、解錠されることはなく中身は無事だった。しかし、12月の事件では、据え付け金庫が動かされた形跡はなく、店長が運ぶ手提げ金庫だけが狙われた形だ。

また、事務所へ通じるドアは内からも外からも開けるためには暗証番号の入力が必要で、開け放しておくと警報音が鳴る仕組みになっていた。セキュリティは万全のようだが、犯人が事務所内で待ち伏せしていた可能性が高いことから、何らかの方法で突破されていたことは間違いない。

ちなみに、亡くなった店長は、幼い頃から本を愛し、出版社勤務を経て、１９８２年から金港堂書店で勤務する大ベテランだった。最愛の息子を亡くした父は心労からか、息子が亡くなったわずか２日後に心筋梗塞で急死。夫と息子を一気に失った母はショックで長らく人前に出ることも叶わなかったが、２０１６年12月には警察による情報提供呼びかけのビラ配りに初めて参加したそうだ。

事件は２０２１年10月現在も未解決。警察は捜査特別報奨金３００万円を設け情報を募っている。

事件は捜査特別報奨金制度に対象となっている

## ネットワークビジネスのトラブルが原因か？

# 金沢市久安独身男性殺人事件

２００８年6月29日18時20分頃、石川県金沢市の久安《ひさやす》地区にあるアパート2階で住人の会社員男性（当時22歳）が殺害される事件が起きた。男性と連絡が取れないのを不審に思った交際相手が訪ね、施錠されていた玄関を合鍵で開け中に入ったところ、台所付近で上半身裸の状態で頭から血を流して倒れていたという。被害男性が持っていた部屋の鍵は玄関付近で見つかっており、警察は、犯人が男性を殺した後に外から鍵をかけ、郵便受けから部屋の中に投げ入れたのではないかと推測。室内には物色された形跡はなかったものの被害男性の携帯電話だけがなくなっており、犯人が証拠隠滅のために持ち去ったと思われた。

司法解剖の結果、死亡推定時刻は27日20時30分頃から深夜。死因は後頭部を鈍器で何度も殴られたことによる脳挫傷と判明。凶器は部屋の中に残されていた血のついた鍋と思われ、両腕

金沢の22歳男性 殺される

自宅アパート 鈍器で殴打の跡

死後2、3日

二十九日午後六時半ごろ、金沢市久安二のアパート

会社員橋本[illegible]さん（22）方で、橋本さんが頭から血を流して倒れているのを、訪れた[illegible]見つけ一一九番した。橋本さんは既に死亡していた。頭に鈍器で殴られたような跡があり、石川県警は殺人事件として金沢中署に捜査本部を設置し、百五十人態勢で捜査を始めた。

調べでは、橋本さんは上半身裸の下着姿で、室内に入ってすぐの台所であお向けに倒れていた。遺体の状況から死後二、三日が経過しているとみられる。

2階の部屋から殺害された男性の遺体が見つかったアパート＝30日午前0時22分、金沢市久安2で

る。二十七…
ていたとい…
ら凶器は見…
ない。
女性は数…
本さんと連…
かったため、…
六時二十分…
トを訪れた…
が施錠され…
め、女性は…



事件は新聞で大きく報じられた

には襲われた際にできたらしき防御創もあった。不思議なのは、台所付近の床や壁、さらに他の部屋にも血痕があったにもかかわらず、犯人が逃走したであろうアパート2階の廊下や階段からは見つからなかったこと。犯行から遺体発見までの間に雨が降ったので、全て流れてしまったのだろうか。

事件から11年後の2019年、街頭で情報を求める被害男性の両親

犯行があった27日、被害男性は勤務先の印刷会社を19時45分頃、退社している。彼がアパートに帰宅したところを何者かが待ち伏せしていたのか、後で訪ねてきて犯行に及んだのかはわからないが、男性の部屋の真下にあるレストランで、犯行時間帯に複数の客が上から大きな物音がしたのを聞いていた。

警察は部屋が荒らされていなかったことから顔見知りの犯行と推定。その後の調べで被害男性がネットワークビジネスと呼ばれる連鎖販売取引（ねずみ講）に関わっていたことがわかったため、警察はその絡みで彼がトラブルを抱えていたかどうかを含め、交友関係を中心に懸命の捜査を行った。が、未だ犯人にはたどり着いていない。

なお、事件は捜査特別報奨金制度の対象に指定されており、犯人逮捕に結びつく情報を提供した者に、300万円の謝礼金が支払われることになっている。

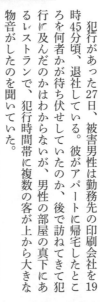

# 板橋資産家夫婦放火殺人事件

## 犯人は日中混成の窃盗グループ⁉

2009年5月25日午前0時30分頃、東京都板橋区弥生町の森に囲まれた屋敷から出火。焼け跡から不動産賃貸業を営む瀬田英一さん（当時74歳）と、妻の千枝子さん（同69歳）の他殺体が発見された。警察は、邸宅の中で燃え残った灯油のポリタンクが見つかったことから、出火原因を放火と断定。また2人は鈍器のようなもので頭を殴られたうえ腹や胸を数ヶ所刺されており、防御創（襲われた際に自分の身を守ろうとしてできた傷）はほとんど見られなかった。こうした状況から、犯人は2人を殺害した後、家に火を放ったものと推察できた。

24日夜、英一さんは在宅。千枝子さんは23時頃まで板橋区内のパチンコ店にいたのが確認されている。先に夫が襲われ、妻は車で帰宅したところを殺害されたとみられる。近隣の人たちが出火の約2時間前に聞いた悲鳴は、英一さんのものだったようだ。

他殺体で見つかった瀬田英一さん（右）と妻の千枝子さん。総資産は10億円以上あったという

森に囲まれた瀬田さん宅。右は現場付近の見取り図（「未解決事件どっとこむ」より）

瀬田さん夫婦は地元では有名な資産家で、自宅の敷地面積は1千500平方メートル以上。賃貸住宅や駐車場を多数保有し、賃料収入などを得ていた。2人とも面倒見のいい親分肌で、英一さんは毎夜のように街へ繰り出し、行きつけの飲食店で客全員に振る舞い酒をすることもしばしば。上着のポケットにはいつも数十万円の現金が入っており、払いは全てキャッシュ。釣りは受け取らず、飲み代は月300万円と本人が話していたという。また千枝子さんも、趣味のパチンコを楽しんでは、常連客を連れて食事に出かけることも多かったそうだ。その一方で、夫婦に普段の近所付き合いは少なく、来客があっても滅多に自宅に人を招き入れることはなかったらしい。昼間でも電話に応答しないため、用件があるときはファクスや手紙で伝えていた知人もいたようだ。

　夫婦は屋敷を高さ約2メートルのコンクリート塀と金網フェンスで囲い、出入り口に赤外線センサーを張り巡らせていた。が、捜査本部によると、事件発生直前の24日夜から25日未明にかけてセンサーが反応したような形跡はなく、裏門近くの金網フェンスの上から、足をかけた際に付着したとみられる泥が検出。フェンスには、よしず（すだれの一種）が立てかけられ、その一部が折れていたそうだ。何者かが足をかけた際に折れたとみられ、侵入経路になったようだ。

夫婦が家屋のセキュリティ意識を高く持っていたことは想像できる。が、資産は金融機関に預けず、自宅に保管していたという。夫婦の知人によると、千枝子さんが札束につまずいて足をくじいたとの〝伝説〟もあるほどで、自宅に金を置いていることをよそで話すこともあったそうだ。事件はおそらく、こうした家の事情を知っていた者による犯行と思われた。現にタンスの引き出しが開き、多数の不動産の権利証や指輪が入っていた居間のキャビネットは鍵が壊され空になっていた。しかし、なぜか離れの布団の下には500万円ずつ束にした現金が2束残されていたそうだ。

夫婦は多くの不動産を所有していたことから、土地売買などを巡るトラブルが多く、その中には暴力団関係者も含まれていたという。そのためか、英一さんは普段から護身用のナイフや木刀を自分の身辺に置いて警戒していたそうだ。また、借地人が建物を他人に譲渡する際などの承諾料を巡って調停に持ち込まれることがあったほか、千枝子さんが「家賃を1年ぐらい滞納して、払ってくれない人がいる」などとこぼしていたのを聞いた人もいる。警視庁は金目当ての強盗、または金銭トラブルを巡る犯行の両面で捜査。情報提供を求めるチラシを配るなどして犯人の行方を追ったが有力な手がかりはつかめなかった。

ちなみに、事件から3年後に出版された『板橋資産家殺人事件の真相』（李策著、宝島社刊）の中で、情報屋を名乗る人物が、事件は日中混成の犯罪グループによるものと発言している。本人曰く、現金を自宅に隠し持っている金持ちの情報を入手し、窃盗団に実行させるのが自分のビジネスで、板橋の邸宅を襲った連中とも、かつて仕事をしたことがあるそうだ。何でも、犯行前、そのグループから一緒にやろうと持ちかけられたが聞き流し、事件後にメンバーの1人が「10億円あった。それ以上は持ちきれないから置いてきた」と電話をかけてきたという。実際、この人物は警察の事情聴取も受けたようだが、当局から犯人逮捕の発表はない。事件の奥には深い闇が広がっているようだ。

放火された瀬田さん宅（上）と、
現場検証する警視庁の捜査員

# ロングアイランド売春婦連続殺人事件

## 麻袋に入れられ浜辺に遺棄された10人の遺体

アメリカ・ニューヨーク州南東部に位置するロングアイランドは、マンハッタンから日帰りで行けるマリン・リゾートとして人気の場所だ。この地で、20年近くにわたって10人を超す女性が被害に遭う連続殺人事件が起きた。

事件の発覚は2010年5月1日。出会い系サイトとして人気の大手電子掲示板「クレイグスリスト」で客を探し、売春をしていた女性シャナン・ギルバート（当時24歳）が警察に「助けて。追われてる。殺される！」という緊急通報をした後、行方不明になった。それから7ヶ月後の12月、彼女の姿が最後に確認された、ニューヨーク州ロングアイランド一帯を捜査していた警察犬が、ギルゴビーチの浜辺で麻袋に入れられた人骨を発見する。2日後、その近くでさらに3体の遺体が見つかる。被害者の年齢は22〜27歳。全員がクレイグスリストを使って売春をしていたこと、首を絞められ麻袋に入れられてギルゴビーチ付近に遺棄されていたことから警察は同一犯による連

事件発覚のきっかけとなったシャナン・ギルバート（2011年12月、遺体で発見）

2010年12月、警察犬が4体の遺体を発見した現場

続殺人事件と断定。メディアも大々的に事件を取り上げたが、この４つの遺体の中にシャナンはいなかった。

警察がより範囲を広げて捜索したところ、翌２０１１年3月末から4月上旬にかけて、ギルゴビーチに隣接するエリアから別の４体の遺体が発見され、さらに頭蓋骨２つに歯やバラバラになった骨が見つかり、犠牲者はこれで計10人となった。新たに加わった被害者は、１人は18～35歳の女性で売春婦であった可能性が大きく、もう１体は17～23歳のアジア系男性。女装の売春婦とみられ、死後5～10年が経過していた。残りの2体は生後16ヶ月～24ヶ月の女児とその母親らしき女性で、母親は売春婦だったとみられている。頭蓋骨で見つかった2体は特定不能だったが、いずれにしろシャナンの遺体はそこにもなかった。

シャナンの遺体がようやく見つかったのは同じ年の12月13日。彼女が姿を消した場所から８００メートルほどの湿地で、警察は、彼女が何者かに追われて逃げている間につまずいて転倒、溺死したと断定した。が、これに異議を唱えた彼女の遺族は自分たちで検視解剖を行い、シャナンが絞殺された可能性があることを突き止め

ロングアイランドのギルゴビーチ一帯で遺体となって発見された被害者たち

る。さらにシャナンの遺族を支援する弁護士が、彼女の仲間の証言により、ロングアイランドに隣接するサフォーク郡の警察署長ジェームス・バーグが事件に関与しているのではないかとの爆弾証言を行う。バーグは売春婦に暴力を働く人物で、さらに彼が一連の事件捜査にＦＢＩが関わることを頑なに阻止し続けていたことも判明。こうした状況からバーグは２０１６年、暴行などの容疑で逮捕されたが、殺人事件の容疑者からは外れてしまう。

捜査は継続して行われ、警察は２０１７年９月、一連の事件のうち１人の被害者を殺害した容疑者が特定されたと発表。ロングアイランド出身の大工ジョン・ビトロルフで、１９９３年に３人の売春婦を殺害した罪で同年５月、25年の有罪刑を受けていた。その過程でＤＮＡ鑑定が行われ、顔見知りだった被害女性を手にかけたことが発覚したと考えられるが、警察は詳細を公表していない。

また2020年1月、捜査本部は加害者のものと思しきベルトの画像を公開。「HM」または「WH」の文字（ベルトの見方による）が黒い革に浮き彫りになったデザインで、最初に4人の遺体が見つかった現場に残されていたのだという。

ロングアイランドでは、1989年から1993年の間に9人の女性が殺害される事件が起きている。1993年6月に逮捕された犯人の名はジョエル・リフキン（1959生）。彼が手にかけたのも売春婦が中心で、1994年、裁判で203年の懲役刑を受け収監された。「ロングアイランドの連続殺人鬼」として恐れられたそのリフキンに、ロングアイランドの日刊新聞が2010年に発覚した一連の事件について取材したところ、彼は「自分は事件と関係ない」と答えたそうだ。

すでに服役しているビトロルフが他の殺人も働いたのか。それとも別に犯人はいるのか。事件は未だ解明されていない。

シャナンの遺族の訴えがもとで逮捕された元サフォーク郡の警察署長ジェームス・バーグ。警察は、殺人事件には関与していないとみて容疑者リストから外している

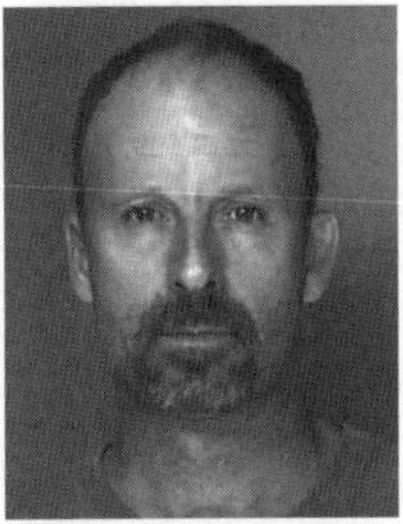

服役中のジョン・ビトロルフが、少なくとも1人の殺害に関与していることが判明

## 現場近くの防犯カメラに犯人と思しき中年男性の姿が

# 荒川区路上男性会社員刺殺事件

２０１１年11月28日22時25分頃、東京都荒川区東日暮里三丁目の路上でスーツ姿の若い男性が背中から血を流しているのを、通りかかったタクシー運転手が発見し、１１０番通報した。男性はタクシーを呼び止め、「病院に連れていってほしい」と話し、運転手が「どうしたんですか」と尋ねると「刺された」と言い、そのまま倒れたという。男性の傷は心臓近くまで達しており、病院に着いたときには心肺停止状態でほどなく死亡。手などに身を守る際にできる防御創はなく、背中をいきなり刃物で刺されたとみられた。

警察の調べで、被害者は近所に住む会社員（当時24歳）であることが判明。現場は被害男性の自宅までわずか15メートルのところだった。被害男性は事件当日の夜、勤務先から自宅の最寄り駅であるＪＲ日暮里駅に21時35分頃に到着。徒歩で１キロほど離れた自宅に向かう途中、コンビニに立ち寄ったことがわかっている。買い物を終えたのが22時20分頃。その後、自宅前付近で犯人と遭遇したらしい。

男性と犯人がもみ合ったのか、現場にはコンビニ袋が落ち、ポテトチ

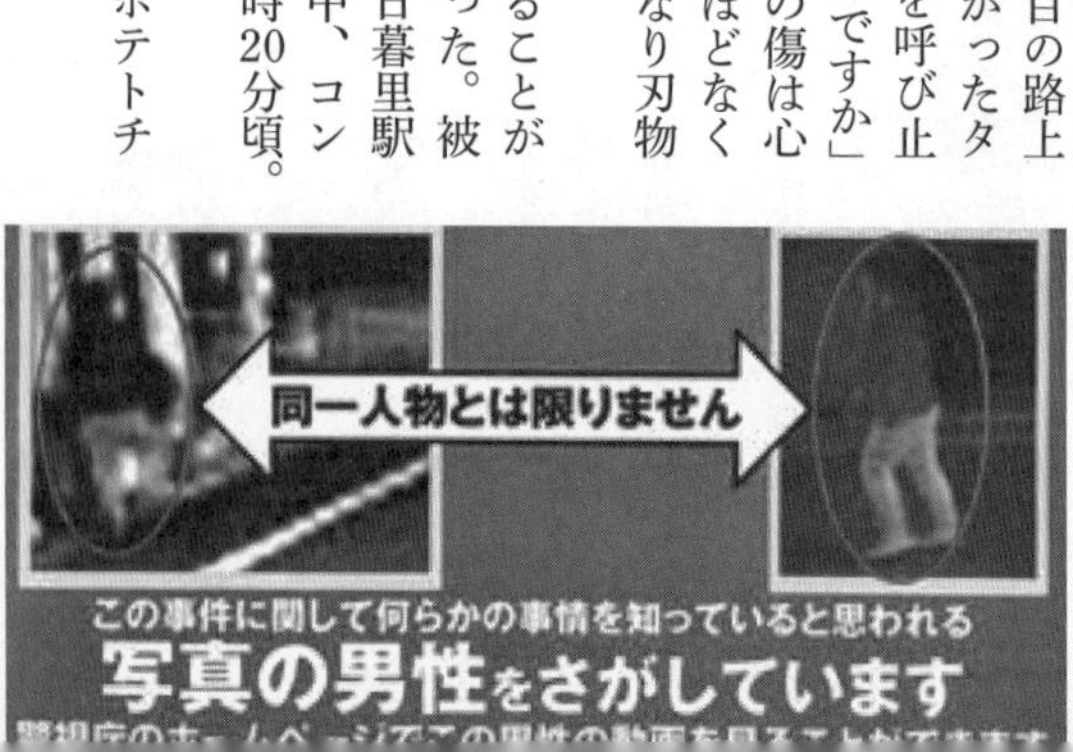
同一人物とは限りません
この事件に関して何らかの事情を知っていると思われる
写真の男性をさがしています

防犯カメラが捉えた犯人らしき男の姿

警察は現在も広く情報提供を呼びかけている

ップスが散乱。そこから15メートル先のT字路付近に大量の血痕が残されていたことから、刺された被害男性が大通りまで逃げ、通りかかったタクシーに助けを求めたようだ。現場で凶器は発見されておらず、被害男性の携帯電話や財布にも手をつけられていなかった。

ちょうどその頃、被害男性の自宅から1本裏の路地に設置された防犯カメラが、1人の男を捉えていた。後に公開される、犯人と思しき男の映像である。黒っぽいジャンパーに、白っぽいズボンを着用し、商店の角を曲がった様子が確認でき、その先に被害男性が襲われた現場がある。また、南におよそ400メートル離れた地点でも不審な男が撮影されていた。この男が黒っぽいジャンパーの男と同一人物かは確認できていないが、警視庁は、何らかの事情を知っているとして行方を追っている。

事件が発生した時刻、現場付近で男性同士の口論する声が近所に聞かれている。特に激しく怒った様子の中年の男性の声が耳についたという。被害男性は明るく社交的な好青年で、周辺にトラブルなどは見当たらない。警視庁は防犯カメラに映った男の身元の特定に全力を挙げているが、2020年9月現在、有力な情報は寄せられていないという。

中国共産党の最高党員が殺害したとの報道あり

# サン一家殺害事件

2014年1月24日から25日にかけて、米テキサス州ヒューストンで、アメリカに帰化した中国移民のサン一家4人が何者かに殺害される事件が起きた。

一家の長マオイ・サン（当時50歳）の姿が最後に目撃されたのは24日の19時37分。エンジニアだった彼が仕事を終え、帰途についたときだ。約2時間後の21時18分、妻のメイ・シエ（同49歳）が出先から家に電話をかけたことはわかっているが、それ以外のことについては誰も一家の動向を把握できていない。

数日後、マオイの同僚が、彼が無断欠勤していることを不審に思い、警察に連絡。1月30日、駆けつけた警察官が鍵のかかっていなかった裏口から家に入り、マオイ、メイ、そして彼らの2人の息子であるティモシー（同9歳）とタイタス（同7歳）が血まみれで倒れているのを発見する。4人ともが頭を撃たれていた。

サン一家。全員が頭を撃たれ死亡

検視の結果、死亡推定時刻は1月24日の19時から25日の11時。凶器の拳銃が現場にないことから、無理心中とのシナリオは除外された。家の裏の窓が壊れていたため強盗の線も考えられるが、抵抗した痕跡もないのに小さな子供まで殺すのは理に合わない。しかも4人とも拘束されておらず、犯人の目的は、ただ4人を殺害することにあったとしか思えなかった。

アメリカのタブロイド紙はこの事件に関し、「中国メディアが、中国共産党の最高党員である周永康《しゅうえいこう》が一家の殺害を自白したことを明かした」と報じた。２０１４年12月に党籍を剥奪される周は、当時、汚職への関与について尋問を受けていた。１９９０年代に周が石油産業にいたときにマオイが中国石油公社に勤めていたつながりから、マオイが周の違法取引に関与していたため、証拠を消そうとしたのだという。対し、中国側はすぐにこの報道を否定した。

事件の犯人と報じられた中国共産党員の周永康。権力乱用・収賄・女性問題、そして党と国家の秘密漏洩などで重大な規律違反があったとして2014年12月、組織から除外された

地元警察にＦＢＩも加わり懸命な捜査が行われているが、家族をよく知る中国人コミュニティの人々は、口をつぐんだまま。当局も、有力な情報の提供に７万ドル（約７００万円）の懸賞金をかけるなど、事件解決の道を必死に探っている。

# 中国陝西省OL殺害事件

## SNSに投稿されたメッセージと数字の謎

2019年7月19日、中国の『捜狐《そうふ》新聞』が陝西《せんせい》省華陰《かいん》市の華山《かざん》（標高約2千メートル）へ1人旅に出かけた女性が殺害されたと報じた。被害者は、広東《かんとん》省深セン市に住むOL（当時27歳）。7月16日、朝7時過ぎのバスで地元を出発した彼女が華山近くの鉄道駅に到着したのが15時頃。いったんホテルに立ち寄り、18日に戻ると言い残し17時過ぎに山に向かったのだという。

バスの発着時や、登山を始める前など、彼女はたびたび交際相手の男性にSNSを通じて居場所を知らせていたものの山に入ってからは連絡なし。ところが、21時35分、自らのSNSに不思議なスクリーンショットをアップする。携帯電話の空白のページを撮ったもので、左上隅に「26824444」という8ケタの数字と「携帯電話が溝に落ちました。幸いにも親切な人がいます。明日、修理したら返信します」とのメッセージが記されていた。

被害女性が訪れた華山は〝最も危険な観光地〟として世界に知られる

この投稿を見た交際相手の男性は心配になり、すぐ彼女に電話をかけるが電源が入っておらず、以後、女性の消息は途絶えてしまう。一方、彼女が最初に訪れたホテルのオーナーは、18日になっても姿を見せないため、不審に思い警察に通報。地元警察が捜査した結果、19日に容疑者を確保し、供述に基づいて被害女性の遺体を収容したという。が、なぜか容疑者の身元はもちろん、犯行の状況や場所、遺体がどこにあったのかなど詳細は一切明らかにされていない。

16日に助けてくれた親切な人は誰なのか。携帯電話が壊れた状況で、なぜSNSにメッセージを投稿できたのか。そして、携帯電話に残された8ケタの数字は誰かの電話番号なのか、それとも別の意味があるのか。なぜ警察は詳細を伏せるのか。事件は謎だらけである。

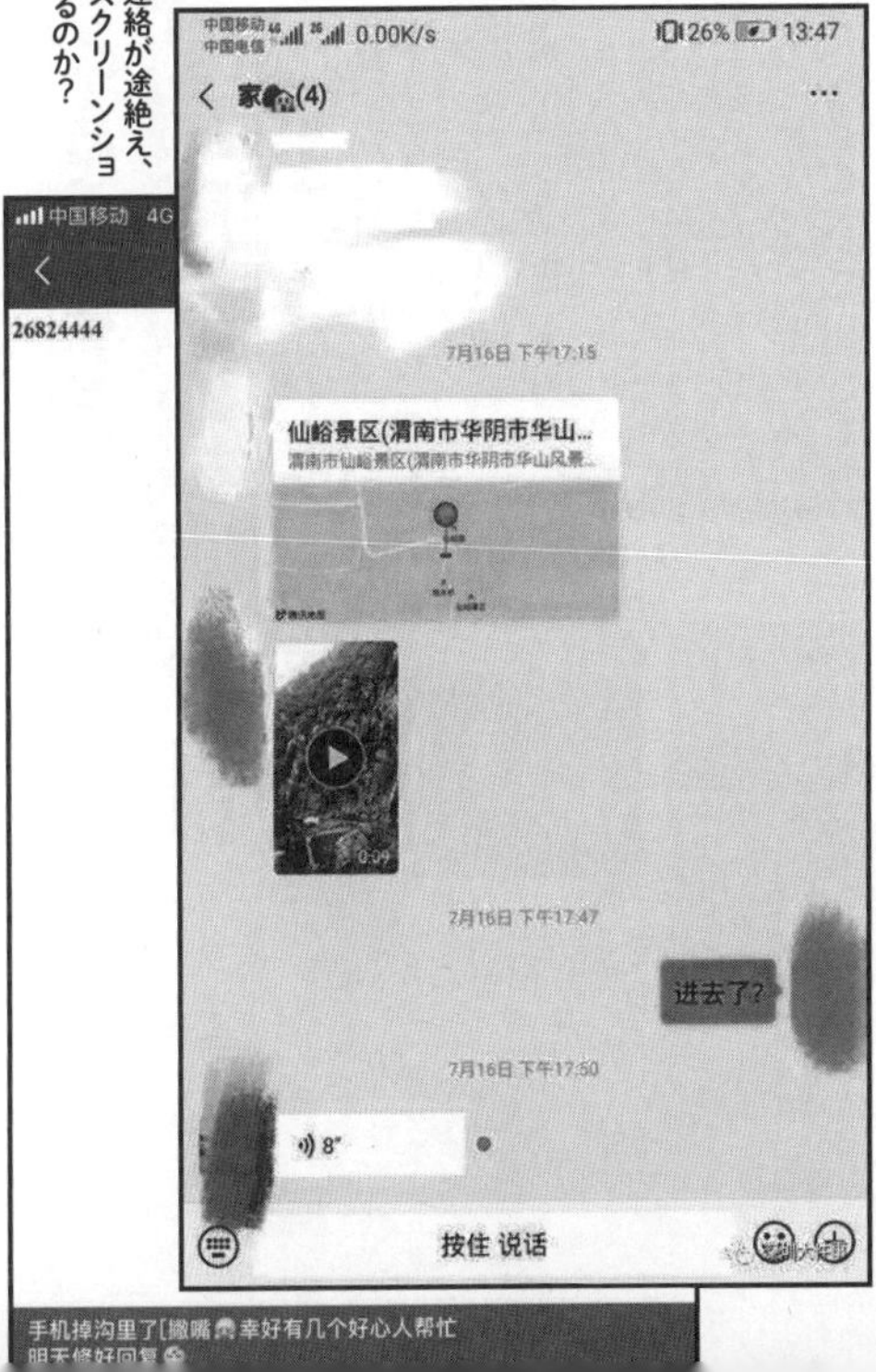


交際相手に居場所などを知らせるメッセージを送っていたが（右）、その後、連絡が途絶え、夜になって突然、自身のSNSに謎のスクリーンショットを投稿。左上の数字は何を意味するのか？

# 大分県宇佐市母子殺害事件

## 2人が自宅のキッチンでめった刺しにされた理由は?

２０２０年2月3日午前11時10分頃、大分県宇佐市安心院《あじむ》町荘《まちしょう》の住宅で、この家に住む郵便配達員の山名博之さん（当時51歳）と母親の高子さん（同79歳）がダイニングキッチンで殺害されているのが発見された。この日、博之さんが出勤してこないのを心配した同僚が自宅を訪ね、変わり果てた2人の姿を見つけ警察に連絡。２人は仰向けに倒れ、上半身を中心に刃物や鋭利な凶器による切り傷や刺し傷が多数あり、司法解剖の結果、２日の夜に殺害されたものと判明。博之さんの死因は頸動脈を切られたことによる失血死で体に数十ヶ所の刺し傷があり、高子さんの体にも十数ヶ所の傷があった。

発見時、玄関の鍵はかかっていたが、1階の縁側の窓が開いており、屋内で男性用のサンダルと思しき足跡など、２人のものではない「土足痕」が少なくとも3種類見つかった。大分県警は複数犯の犯行とみて、怨恨と盗み目的の両面から約90人態勢で捜査を開始する。ただ、事件現場となった山名

事件が起きた山名さん宅

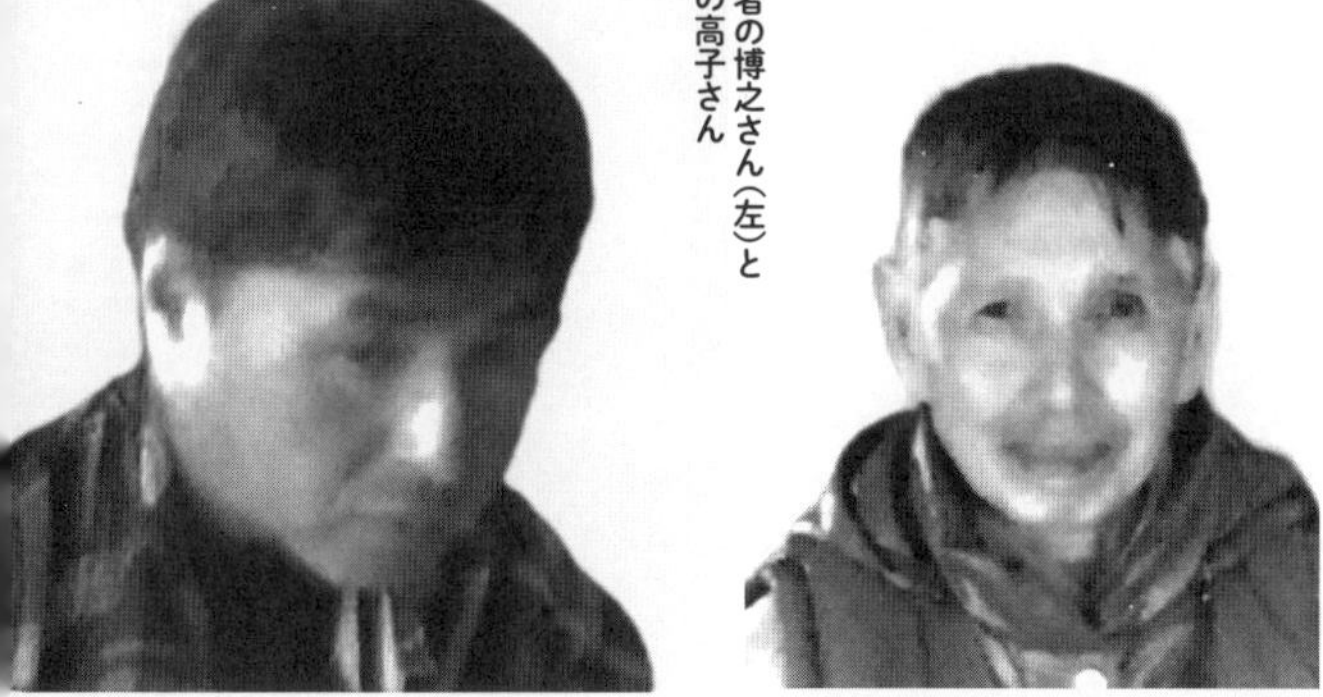

被害者の博之さん（左）と母親の高子さん

さん宅は丘陵地帯にあり、犯行時刻とみられる夜間ともなれば、付近を通る人はもちろん、車もまばら。近所での聞き込みや車のドライブレコーダーの映像を収集するなどして不審な車や人物の情報を集めたものの、容疑者につながる手がかりはほとんど得られなかった。

それにしても、犯人が山名さん親子を殺害した目的は何なのか。屋内を物色した痕跡はなく、2人の財布や預金通帳も残されたまま。亡くなった2人だけで暮らしていたため、何かがなくなっていてもわかる人もいないが、金品目的なら何度も執拗に傷つける必要はない。ならば怨恨が疑われるものの、親子の周辺のトラブル情報は一切ないという。

これまでの警察の調べでは、現場のダイニングキッチンのカーテンなどには血が付いており、抵抗した被害者と犯人がもみ合いになった可能性があるそうだ。犯行の動機が判然としない中、捜査本部は犯人につながる微物がないか、現場で綿密な鑑識作業を行い、分析などを進めている。

# 第2章

# MISSING／消失

## 第一次世界大戦中、300人のイギリス人兵士が雲の中で消失

# ノーフォーク連隊集団失踪事件

第一次世界大戦中の1915年8月28日、連合国軍は、同盟国軍側であるオスマン帝国の首都イスタンブールを制圧すべくガリポリ半島に軍を展開。イギリス陸軍ノーフォーク連隊の兵士約300人もサル・ベイ丘の第60号丘陵の占拠を目指し歩みを進めていた。この後に続いていたのが、オーストラリアおよびニュージーランドの連合部隊、通称アンザック軍団である。

当日は快晴だった。が、丘の上には複数の奇妙な雲の塊が漂っていた。不思議なことにその雲はどれも形が似通っており、風に流されることもなく1ヶ所に固まっていたという。ここで、アンザック軍団は奇妙な光景を目にする。突然、丘の上から〝灰色の雲〟が下りてきて、前を行くノーフォーク連隊を丸ごと吸い込んでしまったのだ。驚くべきはこの後の出来事である。1時間後、雲が空に流され消えていった。当然、そこには進行するノーフォーク連隊の姿があるはずだ。が、アンザック軍団が目撃したのは、人っ子一人いない丘陵だった。

戦争終結後、イギリスはオスマン帝国にノーフォーク連隊将兵の返還を要求した。イギリス政府は、消息を絶ったノーフォーク連隊はオスマン帝国軍の襲撃を受け全滅、多数が捕虜にされたと考えていたのだ。しかしオスマン帝国は、そのような部隊との交戦記録はないとしてイギリスの要求を否定。一部始終を目撃していたアンザック軍団の将兵も、当時いかなる戦闘行為も行われなかったと署名つきで証言、オスマン帝国の見解を裏づけた。もっとも、この証言

は事件から51年後に発行のUFO雑誌に掲載されたもので、なぜ半世紀以上も経って彼らが突然、事の詳細を語ったのか疑問視する、つまりデタラメではないかと見る向きもある。が、1915年の夏の日に、大量のイギリス人兵士が忽然と姿を消したのは紛れもない事実。その真相は現在もわかっておらず、結局、ノーフォーク連隊は「行方不明」として処理されている。

忽然と姿を消した
イギリス・ノーフォーク連隊（実際の写真）

## 汚職を巡る金銭トラブルでマフィアに殺害された!?

# ニューヨーク州最高裁判事失踪事件

アメリカ禁酒法時代の1930年の夏、マンハッタンのレストランから1人の男性が姿を消し二度と戻ることはなかった。名前はジョセフ・クレーター。当時、ニューヨーク州最高裁判所で判事を務めていた人物である。

クレーターは1889年、ペンシルベニア州イーストンで生まれ、ラファイエット大学とコロンビア大学で学んだ後、法曹界に進出。1930年4月、当時ニューヨーク州知事であったフランクリン・ルーズベルト（後の大統領）により、41歳の若さで州最高裁判所の判事に任命された。同年8月6日夜、彼はタクシーでブロードウェイに向かいコメディショーのチケットを購入後、マンハッタン西45番街のレストランで友人の弁護士ウィリアム・クレインと夕食を共にする。後のクレインの証言によれば、クレーターに悩みを抱えている様子は一切なく、むしろ上機嫌だったそうだ。

食事が終わりレストランを出たのが21時30分頃。通りでタクシーを拾い乗り込んだ姿を最後にクレーターは忽然と消失する。けれど彼の妻はすぐに失踪届を出さなかった。というのも、クレーターは浮気癖があり、当時少なくとも3人の愛人がいて、妻はそのうちの1人と行方をくらましたのではないかと疑っていたのだ。が、20日以上が過ぎても何の連絡もないことでさすがに不審に感じ、9月6日に警察に連絡。最高裁判事の失踪事件は新聞で大々的に報じられる。

多くの目撃情報が寄せられた。しかし、決定的な情報が得られぬまま時が過ぎ、失踪から9年後の1939年6月6日、クレーターは死亡宣告を受ける。いったい、彼はどこに消えたのか。巷で噂されたのは、クレーターが判事就任直前に関わっていた不動産を巡る裁判で被告側に有利な判決を導くよう、賄賂を受け取ったのではないかという疑惑だ。この訴訟にはマフィアも絡んでおり、金銭授受のトラブルで彼らに殺害された可能性があるというのだ。もちろん、真相はわからない。

ちなみにクレーターの謎めいた失踪はアメリカでは有名で、人気ドラマ「CSI：ニューヨーク」シーズン5・第5話「人生の対価」にもこの事件が取り上げられている。

ジョセフ・クレーター判事。失踪当時41歳

# イタリア人天才物理学者失踪事件

## 行方不明から20年間は南米で生きていた可能性大

エットーレ・マヨラナ（1906年生）はイタリアの理論物理学者である。幼少期から数学の才能に恵まれ、地元シチリア島のカターニアでは天才の呼び声が高かった。大学で物理学を学び、卒業後、様々な論文を発表。特にニュートリノ質量の研究に長け、ノーベル賞の有力な候補の一人と評される。もっとも、マヨラナ本人は自身の名声を求めないことで知られていたそうだ。

そんな将来を嘱望された物理学者が1938年3月25日、31歳のとき、パレルモからナポリへ移動する船の中で行方不明となった。後の調べでは、パレルモの大学で教鞭《きょうべん》を執っていたアメリカ人物理学者エミリオ・セグレを訪ねることが目的だったようだ。

誤って船から海に落ちたのか、はたまた自殺か。警察は海上をくまなく捜索したが、遺体は見つからず、その後も手がかりは一切つかめなかった。

失踪から73年後の2011年3月、衝撃的な情報がもたらされる。1959年にアルゼンチンの首都ブエノスアイレスでマヨラナと思われる人物を目撃したと主張する男性が現れたのだ。1955年に撮影されたとされる、その人物の写真をイタリア警察が分析した結果、マヨラナの顔と10ヶ所の類似点が認められたという。仮にマヨラナ本人なのであれば、彼は20年前の失踪当時から全く容姿が変わっていないことになる。また、2015年にはローマ検察庁が、マ

エットーレ・マヨラナ本人と、失踪を報じる新聞

ヨラナが１９５５年から１９５９年の間にベネズエラのバレンシアで生活していたという声明を発表している。このときも、マヨラナと思われる人物の写真（１９５５年撮影）を分析した結果、額、鼻、頬骨や顎、耳のような解剖学的細部において、マヨラナ本人と完全に一致したそうだ。

少なくともマヨラナは船から身投げしたわけではなく、何かしらのルートで南米に渡った可能性が高そうだ。が、その目的は一切不明。警察はすでに刑事的証拠は発見されなかったとして事件の終結を宣言している。

## 自分の父親が車ではねて家に連れ帰ったという看護師の告白は本当か？

# マージョリー・ウェスト失踪事件

1938年5月8日、母の日。米ペンシルベニア州のブラッドフォードに住むウェスト家の父シャーリー、母セシリア、11歳の長女ドロシア、7歳の長男アラン、4歳の次女マージョリーの一家5人は町の教会に礼拝した後、家族ぐるみで付き合いのあるエーカリン夫妻とアレゲーニーの森に車でピクニックに出かけた。15時頃、母セシリアが少し休憩するため車へ。父シャーリーは釣りの準備、ドロシアとマージョリーの姉妹は摘んだスミレで花束を作り、ドロシアが車で休んでいる母親に届ける。そして彼女が振り返ったとき、妹マージョリーの姿が消えていた。

当初、家族はマージョリーが森に入って迷子になり、通行人によって発見され近くの町で保護されているものと考えていた。しかし、それが現実でないこととわかるや大捜索が始まった。関わったのはペンシルベニア州西部の油田から集められた労働者数百人、ペンシルベニア州警察、同

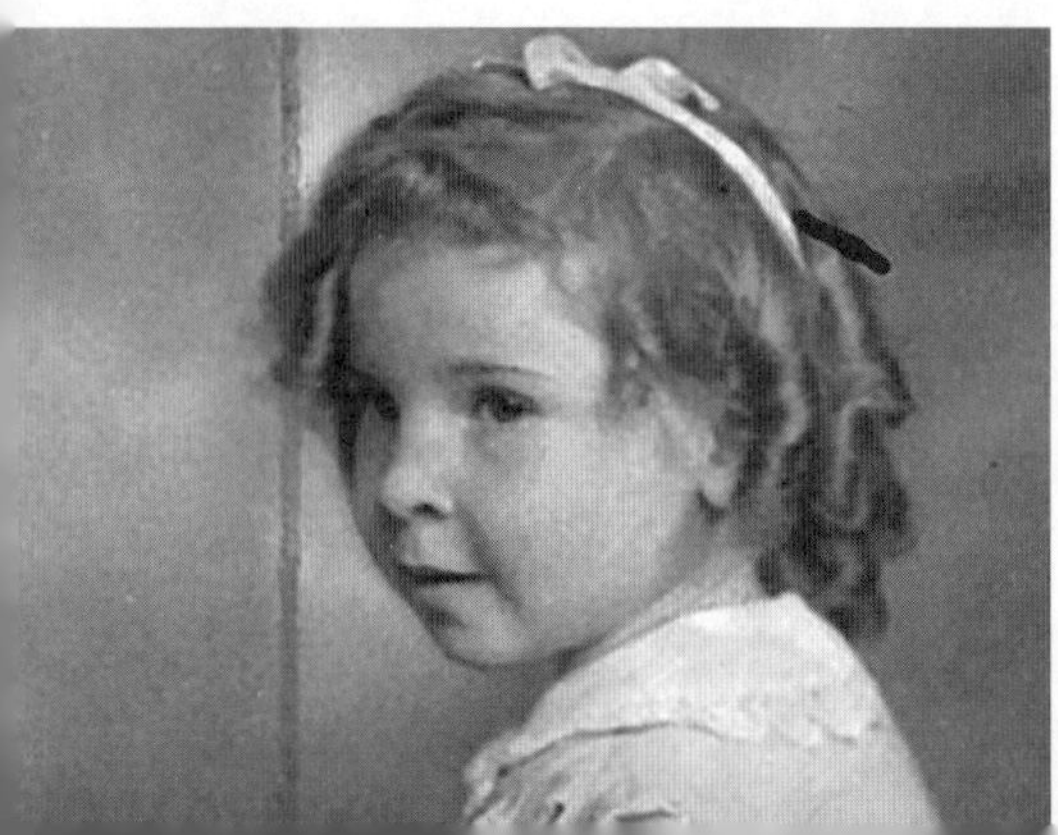

失踪時、4歳だったマージョリー

州とニューヨーク州の警察から連れてこられた警察犬、国家警備隊兵士、飛行機によるボランティアなど総勢数千人。これは、6年前に起きた「リンドバーグ愛児誘拐事件」に次ぐ大規模なものだった。

人々の懸命な捜索も虚しくマージョリーが発見されることはなかった。どころか、手がかり一つ見つからない。森の中で発見された新しく掘られた穴は密造ワインの樽を隠すためのものとわかり、落ちていたレースの切れ端はマージョリーが身につけていたものではなかった。また、彼女が失踪したのと時を同じくして、マージョリーと同じ年頃の泣いている女の子を連れた男がモーテルに宿泊したという目撃情報も得られたが、後の調べで事件とは全く無縁の父と娘と判明する。いったい、マージョリーはどこに消えてしまったのか。

事件から60年後の1998年、ブラッドフォードに住む作家で言語学教授のハロルド・トマスがマージョリーの情報に1万ドルの賞金をかけ、歳を取ったマージョリーの容姿の参考に、当時71歳だったマージョリーの姉ドロシアの写真を添付した。と、1人の女性が、フロリダで一緒に働いていた看護師がドロシアにそっくりだと連絡してきた。さっそくトマスはフロリダまでその女性看護師に会いに行ったが、彼女は自分がマージョリーではないと否定した。が、2005年、当の女性看護師からトマスに再び連絡が入り、自分の母親から聞いた話として驚くべきことをトマスに打ち明ける。

女性看護師の父親は、冬季だけブラッドフォードにある精錬所で働き、春には本人所有の農場で農作業をするため故郷ノースカロライナに戻る暮らしを送っていた。マージョリーが行方不明となった1938年の母の日、自宅へ車を走らせていた父親はアレゲーニーの森付近で女の子をはねてしまう。周りには誰もおらず、焦った父親が近くの町の病院まで連れていこうと車を走らせている途中で女の子が目覚めた。つい最近、自分の子供を亡くしたばかりだった彼は、彼女を連れ帰り、農場で育てることにした。数年後、父親は第二次世界大戦で片腕を失い、彼は妻に、これは自分がしたことへの罰かもしれないと語ったという。

告白の際、女性看護師はトマスに2つの約束をさせた。1つは姉のドロシアを除き誰にも自分の身元を知らせないこと。彼女はドロシアに会いたがっていた。しかし、このときドロシアの健康状態は非常に悪く、結局2人は会うことができなかった。もう1つは自分が生きている間は決してこの話を公にしないこと。トマスは約束を守り女性看護師が亡くなった2010年、この話を綴った著作を出版する。

マージョリーの行方を案じるウェスト家の様子を報じる新聞。
右上が父シャーリー、下が母セシリア、左が姉ドロシアと兄アラン

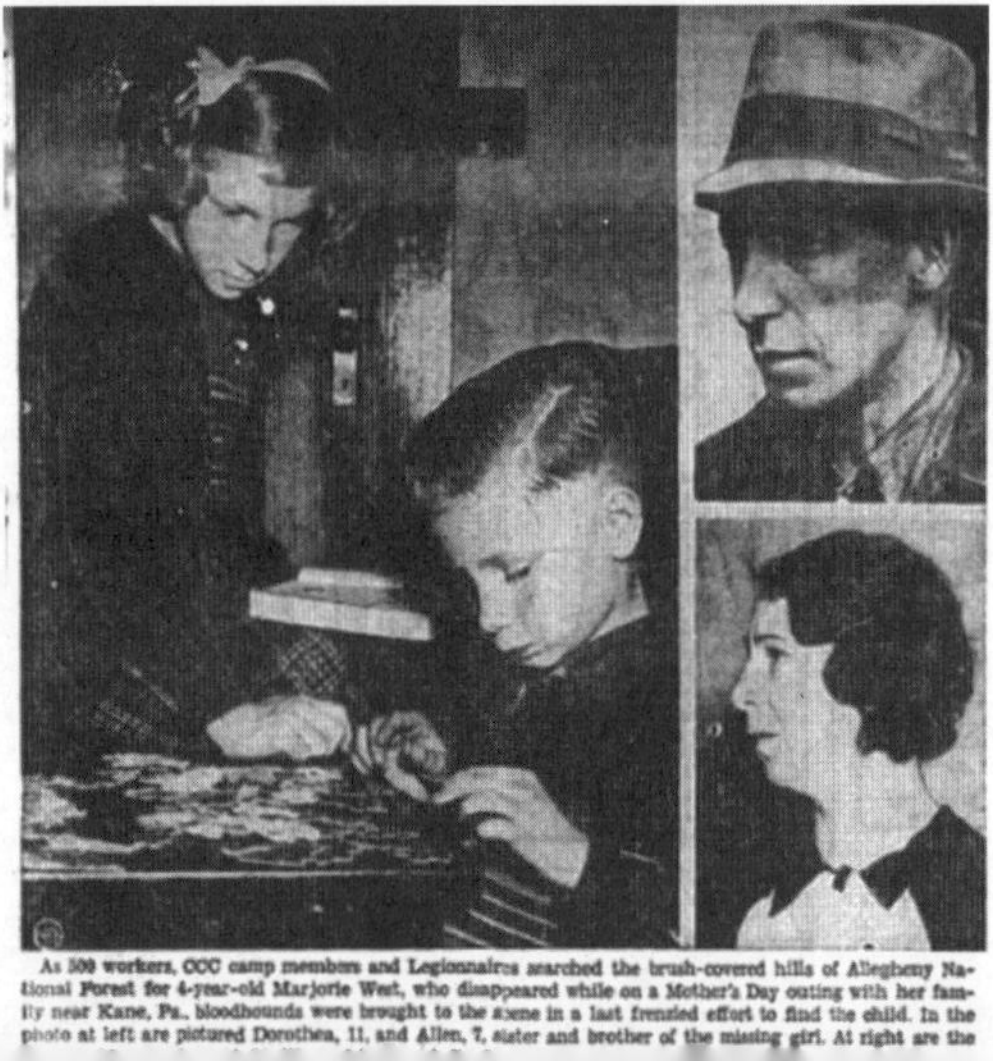
As 300 workers, CCC camp members and Legionnaires searched the brush-covered hills of Allegheny National Forest for 4-year-old Marjorie West, who disappeared while on a Mother's Day outing with her family near Kane, Pa., bloodhounds were brought to the scene in a last frenzied effort to find the child. In the photo at left are pictured Dorothea, 11, and Allen, 7, sister and brother of the missing girl. At right are the

これが事実なら、父親が連れ帰った女の子がマージョリーである可能性は高い。が、この話を信じる人は多くないらしい。マージョリーの従妹の娘であるキャスリーンも本の内容について警察と話したものの、これを真剣に捉えてはいなかったという。もしトマスの記述が真実ならば、両親はどうやって秘密を長く保つことができたのか。4歳の女の子が突如、現れたことに疑問を持つ近隣の人はいなかったのか。トマスの著作は一から創作した〝フィクション〟と言えなくもない。

マージョリーの失踪にはその他、森の中に放置された井戸や鉱山の穴へ落ち発見されなかったとする説、彼女が姿を消す28年前に2人の少年が失踪した際に目撃された「正体不明の男」の仕業とする説など様々な推測がある。彼女が生きていれば、2020年9月現在、87歳になっている。

1998年、作家のハロルド・トマスが1万ドルの賞金をかけ情報を募った際、ポスターに添付したマージョリー（上）と、当時71歳の姉ドロシアの画像

# アメリカ人元有名少女作家失踪事件

## 警察が本格的に乗り出したのは事件から27年後

バーバラ・ニューホール・フォレット（1914年生）は1920年代後半、アメリカで少女作家として名を馳せた人物だ。1927年、12歳で執筆した『窓のない家』が批評家から支持され、翌年発刊の『ノーマンDの航海』も絶賛を浴びる。文学界は彼女の才能に大いに期待したが、バーバラの作家活動はこの2作で実質、途絶える。14歳のとき敬愛していた父が外に女を作り、母とバーバラを捨て家を出たことに大きなショックを受け、文才が枯渇《こかつ》してしまったのだ。

家庭は経済的に深刻な困難に陥り、バーバラは大恐慌が深まる1930年、16歳からニューヨークで秘書として働き家計を助ける。1931年、ニッカーソン・ロジャースという男性と出会い、3年の交際を経て1934年に結婚、マサチューセッツ州ブルックラインに居を構える。が、その暮らしにほどなく亀裂が生じる。夫に浮気の疑いが浮上し口論が絶えなくなったのだ。

1939年12月7日、夫ニッカーソンと言い争いをした後、バーバラは家を出て、そのまま姿を消す。夫が警察に妻の行方不明を報告したのは、それから2週間後。この間、夫はバーバラが帰ってくるものと信じていたという。届け出を受けた警察は、夫婦喧嘩が失踪のきっかけとあってか行方不明者リストに名前を載せただけで真剣に捜索に乗り出さなかった。しかも、リストには既婚名である「ロジャース」と記載されていたため、それがかつての有名少女作家であると気づくメディアもなかった。

13年後の1952年、バーバラの母が警察に出向き娘を徹底的に捜すよう懇願する。母は、バーバラの夫ニッカーソンを疑い、彼に「あなたがバーバラの失踪に関して何かを隠蔽しているものと考えています」と手紙を出していた。警察はそれでも動こうとしなかった。

1966年、失踪した女性がかつての有名作家だと判明すると新聞は大きく事件を報じ、ようやく警察は本腰で捜索を始める。が、時すでに遅し。夫ニッカーソンが殺害した可能性もあるとして取り調べたものの、何の成果も得られなかった。現在に至るまで、彼女の行方はわかっていない。

天才作家としてもてはやされていた10代前半のバーバラ

## ニューギニアの首狩り族に殺され食された可能性大

# ロックフェラー家御曹司失踪事件

世界最大の石油会社スタンダード・オイル創始者のジョン・D・ロックフェラーと、弟でナショナル・シティ銀行ニューヨーク（現在のシティグループ）創業者の一人であるウィリアム・ロックフェラーによって莫大な富を築き、現在アメリカの政財界に大きな影響力を持つロックフェラー家。その名門家族グループの一員であるマイケル・ロックフェラーが1961年、ニューギニア南部で消息を絶ち行方不明となった。23歳の若者はなぜ消失したのか。事件の裏には、世にもおぞましい噂が流れている。

マイケル・ロックフェラー本人。一族の莫大な財産を継ぐべき立場にあった

マイケルは、アメリカ合衆国第41代副大統領ネルソン・ロックフェラー（石油王ジョンの孫）の息子で、ハーバード大学で民族学を専攻、その過程でニューギニア・イリアンジャヤの部族

に興味を持ち、特にダニ族とアスマット族を研究していた。

1961年11月20日、マイケルは父親がマンハッタンに開館したアート博物館に展示するコレクションの収集のため、ニューギニアを訪れる。マイケルに同行していたオランダ人人類学者のルネと目的地へボートで移動中、エンジンが故障し漂流した。案内人の現地人が泳いで助けを求めに行った後、しびれを切らしたマイケルは白いブリーフ姿になり、空のガソリン缶を浮き輪代わりに、かすかに見える陸地へ泳ぎだした。それがルネの見たマイケル最後の姿である。

息子の失踪を知ったネルソンは直ちに現地入りし大規模な捜索を行ったが、マイケルの姿はどこにもない。結局、ロックフェラー家では溺れて流されたか、サメに食われるなどした海難事故と結論づける。しかし、一部のメディアは報じた。マイケルは首狩り族に殺され食べられたのだ、と。

事件から約50年後に現地へ乗り込み1ヶ月間徹底的に取材し、2014年に『サベージ・ハーベスト』（邦題『人喰い　ロックフェラー失踪事件』）を著したアメリカのジャーナリスト、カール・ホフマンによると、事の真相は以下のとおりだ。

その日、マイケルはボートが漂流後、10キロ泳ぎ岸にたどりついた。が、そこは白人の生贄《いけにえ》を探すアスマット族の住む地域。マイケルはアスマット族の男の一人に槍を突き刺され、首の後ろに斧を振り下ろされ絶命した。そしてアスマット族は儀式を行う。最初に頭を外し、首から背中に切り込みを入れ、内臓を除去。グループが呪文を唱えている間、手と足を火にくべ、最終的に頭皮を取り、脳を取り除き、それを食した。アスマット族がマイケルを殺していたの

失踪現場となったニューギニアの南海岸

なら、彼らは生贄のマイケルをこのように扱っていただろうと述べている。

ちなみに、マイケルが故障したボートから泳ぎだす際に身につけたガソリン缶は体に固く結びつけられていた。もし彼が溺死しても、後から来た捜索隊によって、少なくとも缶は発見されたはずだった。また、現地ではサメによる死亡は一件もなかったという。このことからも、ロックフェラー家が見立てた海難事故による死亡は誤っている可能性が高い。

マイケルの目的は、生活用品から聖なる儀式に使われる柱まで、アスマット族のありとあらゆるアイテムを収集することにあった。未開地の珍品を大都会ニューヨークの人々にアート作品として見せるためだ。しかし、アスマット族にアートの意識はない。マイケルにとっては芸術でも、彼らには全て生きるために欠かせない生活の一部だった。その文化の違いを理解せず、彼は金にものを言わせて、お目当ての品を買い漁った。アスマット族に首狩りの風習があることも、マイケル自身は知っていただろう。が、１９６１年に現地を訪れた際、それがまだ残っているとは思っていなかったのかもしれない。大金持ちの都会人の驕《おご》りというべきか（アスマット族の首狩りの風習は、インドネシア政府の指導により、１９９０年代に絶えたと言われている）。

世界で最も裕福な若者が失踪した理由は、公式には認定されていない。しかし、マイケルの身に降りかかった出来事は多くの人たちの想像と興味をかきたて、オフ・ブロードウェイで舞台が上演され、小説やロックの歌にもなっている。

1961年11月、ニューギニアを訪れた際のマイケル。後ろに見えるのがアスマット族

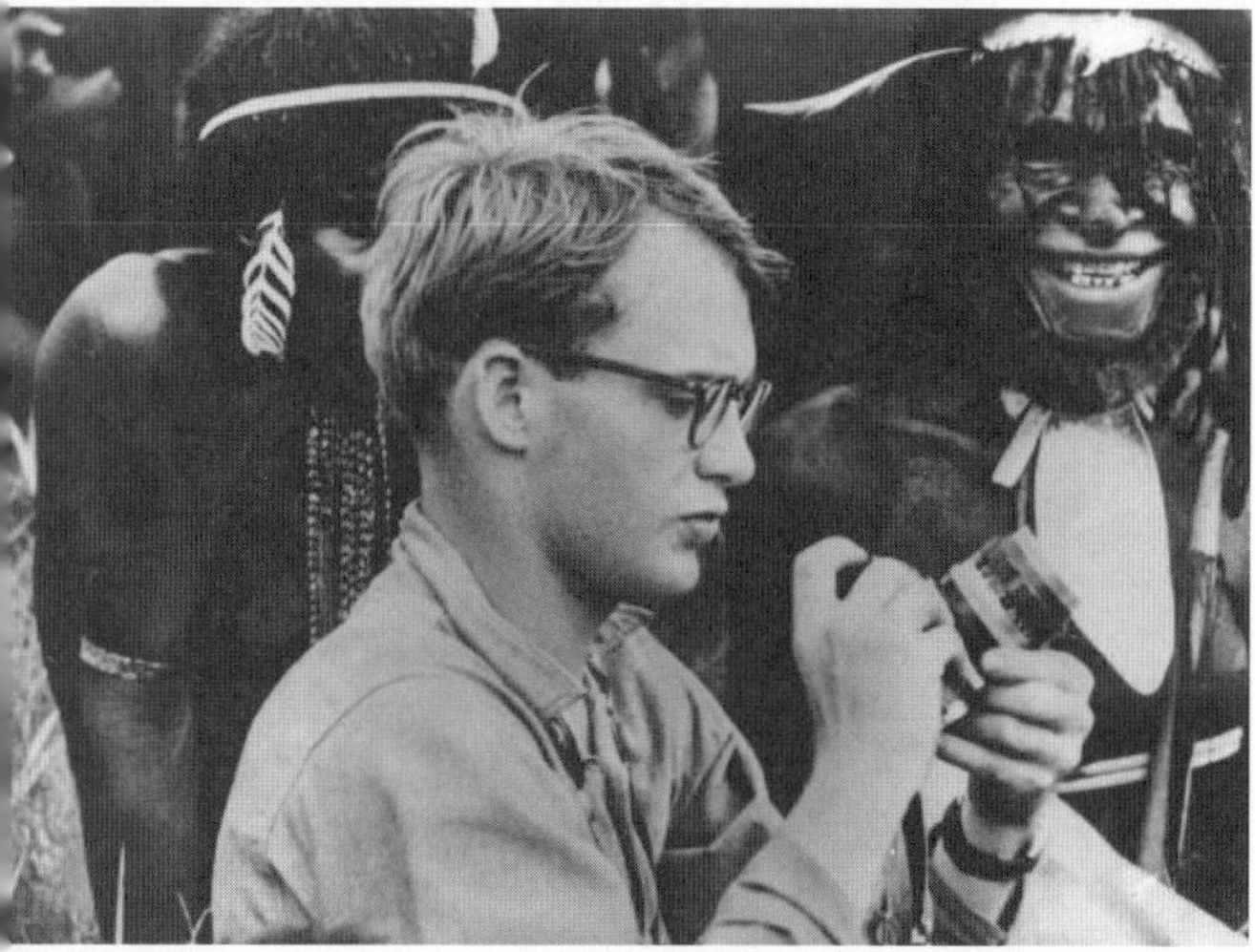

## フライング・タイガー・ライン739便失踪事故

### 機体と乗員乗客107人が完全消滅。原因は一切不明

ベトナム戦争さなかの1962年3月16日、アメリカ本土から南ベトナムに向かっていた旅客機フライング・タイガー・ライン739便がフィリピン東方海域で行方不明となった。同便は、民間人である乗員11人の他、乗客は全てジョン・F・ケネディ政権が南ベトナムへの派兵決定を受けて同国に送られるアメリカ軍人であり、米軍将兵93人と南ベトナム軍将兵3人の計107人が搭乗していた。

トラビス空軍基地からホノルル、ウェーク島を経由し、グアムのアンダーセン空軍基地からフィリピンのマニラにあるクラーク空軍基地に向けて離陸したのが11時14分（グリニッジ標準時）。14時25分、パイロットが無線で定期的なメッセージを送信したが、15時30分、グアムのオペレーターは強い雑音による通信トラブルに見舞われ、その後、一切無線連絡が途絶えてしまう。ただちに多くの航空機と船舶を動員して大規模な捜索が行われたものの、739便の痕跡はどこにも見つからない。捜索は1週間で打ち切られ、107人全員が死亡したものと判断された。

739便はどこに消えたのか。後にフィリピン東方沖1千300キロを航行していた船舶の乗組員から、同便がその近辺を飛行していたと思われる3月16日午前0時30分（現地時間）頃、何かが空中で爆発し2つの火の玉になって海面に落下していったという証言があった。そのた

失踪した739便と同じ型のフライング・タイガー・ライン社の旅客機

め、何らかの原因で墜落したと推定されたものの、機体の残骸という物証を得られず事故とは断定できなかった。

陰謀論もある。実はこの日、トラビス空軍基地から別の航空機1機が離陸しており、同機は〝秘密の軍用貨物〟を輸送していたそうだ。739便とこの飛行機が同じ空で遭遇し、何かしらの意図でこの1機が739便の飛行を妨害し、海上に墜落させたのではないかというのだ。当時、一部メディアが騒ぎ立てたが、これも739便の失踪原因が不明ゆえの憶測で根拠はない。

ちなみに、フライング・タイガー・ライン社の飛行機は、1989年2月にもマレーシア上空を飛行中に墜落事故を起こしており乗員4人が死亡。同年8月に世界最大手の物流会社フェデックス・コーポレーションに吸収され「フライング・タイガー」の名称は消滅した。

## 蒸発から44年後、別の殺人事件で逮捕された大富豪が捜査線上に浮上

# リン・シュルツ失踪事件

1971年12月10日、米バーモント州にあるミドルベリー大学1年生で、同大学の女子学生寮に住むリン・シュルツ（当時18歳）は、学校の試験を受けるため12時55分に数人の学友と一緒に寮を出た。教室への道すがら、彼女は試験で必ず使う縁起のいいペンを忘れたことに気づき、友人たちに「先に行ってて」と告げ寮に引き返す。が、13時の試験開始時間になっても教室に現れない。心配になった友人が学生寮のリンの部屋を見に行ったところ、そこに彼女の姿はなく、財布と学生証が残されていた。

リンが忽然と姿を消した2日後、大学側は警察に事情を説明。地元警察による周辺の聞き込み調査で、試験当日の12時半に大学近くの食料品店でリンらしき女性がプルーンを食べていたという目撃証言が得られた。奇妙なことに、リンはその目撃者に対し、食料品店の向かいにあるバス停に来るニューヨーク行きのバスを待っていると話したそうだ。ただ、その時間はバスが行ってしまった後だったという。

行方不明となった女子大生リン・シュルツ

その後の警察の捜査で、学友が最後にリンを見た10日12時55分から80分後の14時15分、再び彼女が同じバス停にいたことを示すいくつかの目撃証言が得られた。この行動が何を意味するのか全くわかっていない。リンは、試験後のクリスマス休暇で故郷のコネチカット州に帰省するのを楽しみにしていることを周囲に話していた。蒸発する理由はどこにもない。家族はもしかしたら、リンがクリスマスに実家に戻ってくるのではと一縷《いちる》の望みを抱いていたが、期待は虚しく破られた。

何の手がかりもないまま失踪から44年が過ぎた２０１５年、捜査線上にある男が浮上した。リンが訪れた食料品店のオーナーであるロバート・ダースト（１９４３年生）。ニューヨークに多くの不動産を持つダースト一家の一員で、１９８２年に妻、２０００年にガールフレンド、２００１年に隣人男性を殺害したとされる人物だ。リンが消えた１９７１年12月は、ロバートはまだ結婚前の28歳。2人を結びつける物証は何もないが、彼が3人の命を奪った殺人鬼だとすれば、リンがその餌食になった可能性も否定できない。

事件への関与が疑われている大富豪ロバート・ダースト

## 全米トラック運転手組合元会長はマフィアに消された!?

# ジミー・ホッファ失踪事件

1975年7月30日、アメリカ屈指の労働団体である全米トラック運転手組合（IBT。通称「チーム・スターズ」）の元会長、ジミー・ホッファ（当時62歳）が突如、デトロイトで行方不明となる事件が起きた。警察の捜査も虚しく消息はわからずじまいで、7年後の1982年、死亡宣告がなされる。果たして、ホッファはどこに消えたのか。

ホッファが世に頭角を現すのは1931年、貨物列車から積み荷を降ろす仕事に就いていた18歳のとき。劣悪な労働環境を改善するため、仲

ジミー・ホッファ。その波乱に富んだ生涯は1992年、ジャック・ニコルソン主演で映画化されている

間に呼びかけ仕事をボイコット、雇用者側に賃上げや保険制度の充実などを盛り込んだ労働契約を結ばせた。この実績により、彼は１９３３年、デトロイトのＩＢＴ支部専従となり、その後、身長１６５センチと小柄ながらも逞《たくま》しい体格、恐れを知らぬ交渉術で、めきめきと出世していく。が、その裏にはマフィアの助けがあった。時にＩＢＴに非協力的な労働者を恫喝し組合に入れさせ、時にストライキを匂わせ雇用者から金を強請《ゆす》り取る。ＩＢＴに限らず、当時のアメリカの労働組合活動は裏社会と手を組むのが常識だった。

が、ホッファの場合は力が大きすぎた。１９５０年代半ば、ＩＢＴは全米のトラック運転手２００万人以上を擁する巨大組織となり、その最大の貢献者として、ホッファを次期会長に推す声が日に日に強まっていた。対しアメリカ政府は、労働組合の腐敗を調査し組織犯罪との関連を究明することを目的に、１９５７年、上院にマクレラン委員会を発足する。その首席顧問となったのが、後の米国大統領ジョン・Ｆ・ケネディの弟、ロバート・ケネディだ。

使命に燃えるロバートは、ＦＢＩを動かし、ホッファの逮捕に踏み切る。容疑は３件の贈賄と共同謀議だった。ロバートは自信満々、報道陣を前に大見得を切った。

「これでホッファが無罪になったら議事堂の上から飛び降りる」

果たして、裁判で下された判決は無罪。ホッファは嫌みでロバートにパラシュートを送り、ほどなく組合員の投票によりＩＢＴ会長の任に就く。

赤っ恥をかかされたロバートは、組合の積立金がマフィア組織に流れていることに目をつけ、１９６１年１月、兄のジョンが大統領に就任すると、司法長官としてホッファ再逮捕のための

生涯の天敵となったホッファと、ロバート・ケネディ(手前)

特命チームを組織。日ごとに追及を強めていく。対し、ホッファは金に糸目を付けず腕利きの弁護団を雇い入れ、いつも際どいところで有罪を免れていた。

しかし、1964年、運は尽きる。マネーロンダリングに関与した罪で逮捕。懲役13年の判決を受け、ホッファは部下のフランク・フィッツシモンズに全てを任せ、1967年、刑務所に収監される。いったんフィッツシモンズを要職に就かせ、出所後、また権力の座に返り咲く算段だった。

ところが、これがとんだ誤算だった。服役から4年後の1971年、ホッファは特赦を受け、仮出所する。が、これには裏があった。仮釈放の厳守事項に「本来の刑期が切れる1980年まで組合活動を禁ず」と記されていたのだ。圧倒的に不利な状況にもかかわらず、ホッファは労働者の支持を力に、会長職返り咲きへの道を真剣に模索していた。事件はそんな頃に起きる。

その日、ホッファは誰かと会食をすることになっていた。相手が誰であるかはわかっていない。約束の時間は14時。しかし、相手は現れない。14時30分頃、自宅に電話をかける。自宅に待ち合わせの相手から伝言がないかと思ったのである。妻が何もないと答えると、ホッファは腹立たしげに電話を切り、およそ1時間後、今度は来る途中に立ち寄った空港バス会社に電話をする。ホッファはそこの共同経営者で「今からそっちに行く」と告げる。

しかしホッファはその後、忽然と姿を消し、今なおその行方は不明である。だが、世間の意見は一致している。マフィアにとって利用価値のない、単に邪魔者となったホッファは組織の手先によって惨殺された。その死体はどこかに埋められたか、圧縮機に放り込まれたのだ、と。

ホッファ失踪を報じるデトロイトの地元紙

Pittsburgh Post-Gazette

First Newspaper West of the Alleghenies

Final City Edition

190th Year

VOL. 49—NO. 1 FRIDAY, AUGUST 1, 1975 In Three Sections 15 CENTS

Car Found in Detroit Suburb

# Hoffa Reported Missing

Turkey Rejects Military Aid Offer by Ford

Ex-Teamsters Chief Failed To Come Home

Art Support

# フレデリック・ヴァレンティッヒ失踪事件

## 「4個の着陸灯がついた大きな未知の機体に付きまとわれている」

1978年10月21日、オーストラリアの新米パイロット、フレデリック・ヴァレンティッヒ（当時20歳）が、オーストラリアとタスマニア島との間に位置するバス海峡上空を訓練飛行中、行方不明となった。失踪寸前、彼はメルボルン航空管制塔に「（自分の機体より）1千フィート（約300メートル）高い位置から何かに追われている。それは航空機ではない」と報告し、無線を絶っている。

ヴァレンティッヒは物心ついた頃よりパイロットに憧れ、長じてオーストラリア空軍に2度志願したが、いずれも不合格。航空訓練団のメンバーとなり商業パイロットを目指すも、2回にわたって5つの資格試験科目を全て落とし、さらには飛行中、故意に雪の中に飛び込むなど奇妙な行動を取っていた。父親によれば、彼はUFOの存在を強く信じ、彼らに襲われることを案じていたそうだ。

当日、ヴァレンティッヒが無線で異常を連絡してきたのが19時6分。4個の着陸灯がついた大きな未知の機体に付きまとわれている、頭上を高速で移動している、機体の表面は光沢のある金属、相手のパイロットはわざと自分をもてあそんでいるなど、報告は具体的だったが、管制塔の確認で、そのとき付近を飛ぶ航空機は存在しなかったことがわかっている。

いずれにしろ、強い雑音とともに彼の無線は断絶され、機体もレーダーから消える。直ちに捜索が開始されたが、痕跡一つ発見できない。それから5年後の1983年7月、ヴァレンティッヒが操縦していた航空機のエンジンの一部がタスマニア島東端の北20キロにあるフリンダース島海岸に打ち上げられているのが見つかった。結果、何らかの原因で墜落し、機体が流れついたものと推測された。

では、ヴァレンティッヒが失踪寸前に交わした無線の内容は何だったのか。自殺説、実際にUFOに遭遇し機体を破壊された説など様々な推論があるが、有力なのは、彼が操縦を誤ったことで方向感覚が狂い、不注意にも自機を下向きにして飛行していたというものだ。機体がひっくり返ることでヴァレンティッヒは水面に反射した自機の灯火を他の機体のものと誤解し、パニックの中で不可解な言葉を発したのではないか。もちろん、真相はわからない。

フレデリック・ヴァレンティッヒ本人。普段からUFOの存在に異常に怯えていたらしい

## キャンプ地で消えた4歳少女の行方に多くの怪情報が

# ナイリーン・マーシャル失踪事件

1983年6月25日、米モンタナ州ヘレナ近郊のヘレナ国有林にあるキャンプ地で、多くの家族が参加するハム無線同好会の集まりが催されていた。日も傾いてきた16時頃、集まりに参加していた4歳のナイリーン・ケイ・マーシャルが神隠しに遭ったかのように失踪した。このとき、ナイリーンは他の子供たちとキャンプ地から少し離れた木立の中を歩いていた。最年長の少年が先頭に立ち前を進んでおり、彼がふと振り返るとナイリーンがいなくなっていたという。

子供たちは最初、ナイリーンがかくれんぼをしているのかもしれないと考え、名前を呼びながら辺りを捜した。しかし、一向に彼女が姿を現す気配はない。そこで、彼らは90メートルも離れていないキャンプ地に戻って大人たちにナイリーンがいなくなったことを報告した。警察や森林管理局にもすぐに知らされ、レスキューチームも加わった大規模な捜索が始まった。その中には実績豊富で優秀な警察犬がいたが、ナイリーンの臭いは彼女がいなくなった水辺の地点で消えてい

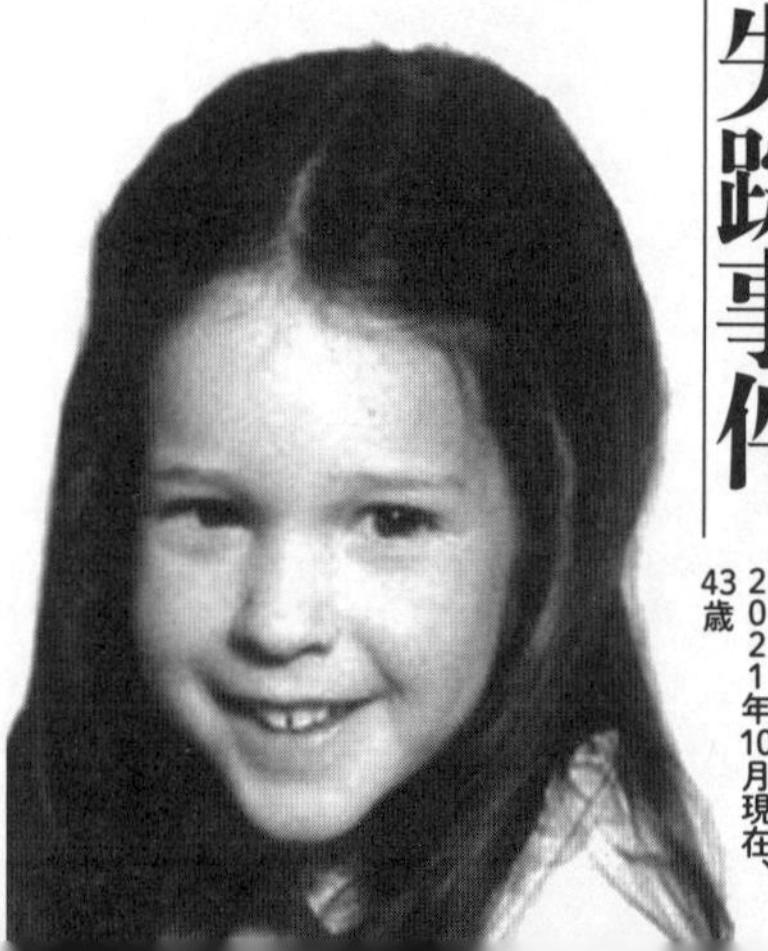

ナイリーン。生きていれば、2021年10月現在、43歳

たという。

そんななか、ナイリーンと一緒にいた子供のうち2人の少年が、木立の中にジョギングウェアを着た成人男性がいたことを証言する。恐ろしい形相をしたその男は、ナイリーンに話しかけ、「影を追え」という不可解な言葉を発していたそうだ。しかし、すでに捜索のため多くの人が木立に立ち入っており、ジョギングウェアのその男の痕跡を特定するのは不可能。男の容貌について少年たちの記憶もやや曖昧で、似顔絵が公表されたものの、男についての情報は一切得られなかった。

10日間に及ぶ徹底的な捜索に続き、ナイリーンの写真は全国の新聞、テレビ、チラシ、牛乳パックにまで掲載されて情報提供が求められた。しかし、有力な情報は皆無。警察は誘拐説から、ナイリーンが迷子になってどこかで行き倒れになったのだという見解を色濃くしていく。

何の進展もないまま2年5ヶ月が過ぎた1985年11月27日、事件に動きがあった。非営利の「全米行方不明児童センター」が、ナイリーンを誘拐したと主張する匿名の男性から電話を受け、さらに2ヶ月後の1986年1月、同センターに不気味な手紙が送られてきた。

ウィスコンシン州マディソンの消印が押されたその手紙には、「ケイという名前の少女」を誘拐したことを自慢する内容が綴られていた。なんでも、男はモンタナ州エルクホーンで車を走らせていたところ、道路脇で泣いていた小さな女の子「ケイ」を見つけて車に乗せたという。男は独身の投資家で経済的余裕があり普段は家にいることから、ケイを同居させることにしたそうだ。ケイに何不自由ない暮らしを与え、学校には通わせなかったものの、年相応の勉学もさせた。ケイを愛している。そして、おぞましいことに、男は毎朝、ケイにスプーン一杯の自分の精液を与えて飲ませるのが日課になっていると記していた。この男からのものらしき手紙はその後も数通続き、同じ男と思しき電話も警察やマーシャル家に数回かかってきたという。電話の発信元はマディソン市周辺の電話ボックスと突き止められたが、監視カメラなどがほとんどない時代だったこともあり、電話をかけた人物を特定することはできなかった。

娘の行方を案じる母ナンシー(左)と父キム・マーシャル

1990年、事件はまた新たな動きを見せる。テレビ番組「Unsolved Mysteries」で、この事件が取りあげられた際、カナダ・ブリティッシュコロンビア州在住の視聴者が、番組で紹介されたナイリーンは自分の教え子だったと報告してきたのだ。が、後の調べで、この視聴者のいう少女はナイリーンではなく、１９８２年にカリフォルニア州バーバンクで行方不明になった別の少女と判明する。

翌１９９１年には、リチャード・ウィルソンという名前の男性がナイリーンを殺害したことを自白し、遺体の隠し場所を当局に告げた。しかし遺体はそこにはなく、彼は自白を撤回し警察も彼は事件に無関係と発表。さらに１９９８年、オクラホマ州の病院に産気づいて入院した女性が成長したナイリーンではないかと病院スタッフの１人が報告してきたものの、血液検査の結果、別人だった。

テレビ番組の放送によって多くの情報が寄せられたが、どれも解決にはつながらず、ナイリーンの失踪は迷宮入りの様相を深めている。

警察はナイリーンが成長した容姿をシミュレーション、画像を公表している。上が12歳時、下が33歳時

毛髪と血痕が付着した毛布が発見されたが…

# 「水戸の梅むすめ」失踪事件

１９８６年12月26日、茨城県水戸市内のデザイン会社勤務の会社員である大畠美智子さん（当時21歳）が退社後に行方不明となった。大畠さんは、５日前の12月21日、水戸市内の県産業会館で開催された「水戸の梅むすめ」（２００１年より「水戸の梅大使」に改称）の審査会で、応募者１７９人の中から「梅むすめ」９人のうちの１人に選出され、翌１９８７年２月から水戸市内の「偕楽園」でコンパニオンの仕事に就く予定だった。

この日、大畠さんは「友達に会う用事がある」という理由で、定時より2時間ほど早い15時過ぎに退社している。退職の件は約１ヶ月前に届出が受理されていたが、この早退については同僚も上司も事前に知らされておらず、また後の水戸警察署の調べでは、会う約束をしていたと思われる友人も見つかっていない。よって、この申し出は彼女に当日、予期せぬ出来事が起き、早めに退社する口実だったようにも取れる。

ただ、大畠さんの失踪が自己都合によるものとは考えにくい。彼女は会社を辞めた後、友人と旅行に行く計画を立てており、何より次の就職先も決まっていた。自宅には、身の回りの生活用品（衣類、靴、化粧品など）は残されたままで、行方不明の後、預貯金を下ろした形跡も、目撃情報もない。

だとすれば、何らかの原因で事件に巻き込まれたのか。実はその後、警察の捜査により茨城

大畠さんも選ばれた「梅むすめ」から数えて58代目の「梅大使」10人
（「茨城新聞クロスアイ」より）

県笠間市の県道で彼女の毛髪と血痕が付着した毛布が発見されている。事件との関与を疑う警察は、重要参考人として、大畠さんの元上司で彼女にしつこくつきまとっていた男性を取り調べる。が、証拠不十分で検挙には至らず（アリバイもあった）。ただし、この男性は２０００年10月、大畠さんの失踪とは別件で逮捕されている。

　大畠さんの痕跡を残す毛布が見つかったことから彼女が事件に遭遇した可能性は十分ありうる。が、それを裏づける確証はなく、その行方も未だ不明。ちなみに、茨城県では大畠さん失踪の約半年後に、当時15歳だった女子高生・根本直美さんが行方不明となり、２つの事件は「常磐線沿線美女連続失踪事件」とも呼ばれている。

## 母親が娘の殺害を告白するも不起訴に

# マリーナ・チルドレス失踪事件

1987年4月16日、米テネシー州ユニオンシティ。この日、4歳のマリーナ・チルドレスはいつものように家の前で遊んでいた。マリーナの母親パム（当時22歳）は家の中にいた。

15時30分、外から車のブレーキ音が聞こえ、パムが前庭を見たところ、娘の姿がない。見えたのは、速度を上げて走り去るケンタッキー州のナンバープレートを付けた赤い車だった。パムは警察に電話をかけ、取り乱した声で娘が誘拐されたかもしれないと伝えた。

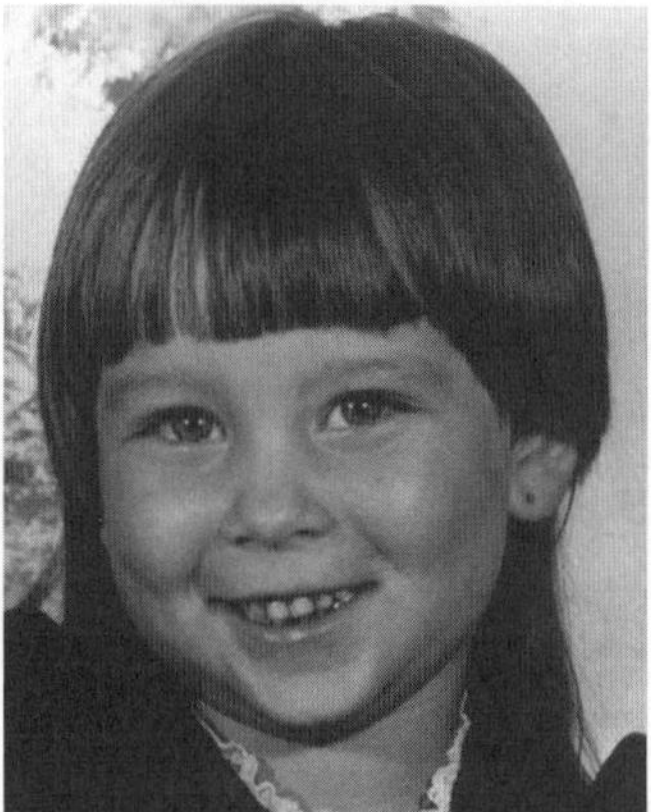
自宅前から行方不明となったマリーナ・チルドレス

警察はすぐに赤い車を追跡したが、何の成果も得られなかった。マリーナは誘拐されてしまったのか。手がかりを求めて、ボランティア約1千人が捜索に協力するとともに、マリーナのブルーがかったヘーゼル色の目、ストレートの髪、ピアスの耳を描いたポスターが地域全体に配布された。さらにパムの父親、マリーナの祖父にあたるラウェイド・ストリックランドは、

100万円の懸賞金をかけ、マリーナに関する有益な情報を募った。パムも地元テレビ局の取材に答え、涙ながらに娘が無事に戻ってくるようカメラに訴えかけた。

寄せられた情報の中で最も有力だったのは、失踪後6日目にテネシー州メンフィスの美容院で、2人の女性と一緒にいるマリーナを見たというものだ。が、後に警察が見つけ出した女の子はマリーナとは全くの別人だった。いったい、彼女はどこに消えたのか。

事件は2ヶ月後、衝撃的な展開を迎える。ストレスと疲労で入院していたマリーナの母パムが私立探偵のスタン・キャブネスに対し、赤い車の件は作り話で、本当は自分が誤ってマリーナを殺し遺体を捨てたと語ったのである。パムによればその日、言うことを聞かない娘に激怒して頭を叩いたところ、マリーナが倒れてテーブルに頭をぶつけ、死んでしまったそうだ。パムはパニックになり死体を隠すために、昔の友人のP・L・サマーズという男性に電話をかけ、サマーズが近くにあるオビオン川の濁った水の中に死体を遺棄したのだという。

この告白は探偵のキャブネスによって録音されており、パムは殺人容疑で逮捕される。遺体の大規模な捜索も始まった。事件はこれで解決のはずだった。しかし、事はそう簡単には進まない。

警察は、パムの供述から当然のように共犯者のサマーズを追及した。と、彼から意外な答えが返ってきた。パムのことは知っているがもう何年も彼女に会っておらず、マリーナが行方不明であることなど一切知らないと供述したのだ。ということは、またもパムの虚言なのか。実際、パムが娘の死体を捨てたと主張するオビオン川を警察が徹底的に捜索したものの、死体ど

娘の殺人容疑で逮捕された母親のパム（左）

ころか何の痕跡も見つからなかった。

そして、殺人容疑で勾留されていたパムが突如、自白を取り消す。彼女曰く、探偵のキャブネスから、自白しない限り死刑判決に直面すると脅されたため、やむなく殺人を告白したのだ、と。しかし、改めてキャブネスが録音したテープを聞いた警察は、彼が彼女を脅したという証拠を一切見つけられなかった。キャブネスもまた、パムが自分に殺人の告白をした際、彼女は殺害方法とそのときの様子を詳細に語り、後悔の念を示していたと説明した。

その後も、娘を売り払ったと主張するなど何度も供述を変えるパムは精神鑑定にかけられたが、裁判に耐えうる能力があると診断された。しかし、唯一の証拠がパムの自白のみでは起訴することも困難。結局、パムは自由の身となり、両親と同居するためにケンタッキー州メイフィールドに引っ越した。

それから15年後の2002年、彼女は12歳の息子を墓地で刺した殺人未遂の容疑で逮捕され、10年の刑を受ける。この一件で、警察はマリーナ事件の捜査を再開するが、新たな証拠は見つからず、パムの起訴には至っていない。

パムが探偵に語ったことは嘘だったのか。なぜ突如サマーズの名前を出したのか。なぜ15年後に息子を刺し殺そうと思ったのか。マリーナ失踪から33年（2020年9月時点）。未だ彼女の行方はわかっておらず、真相は藪の中だ。

警察が作成した29歳時点でのマリーナの容姿。2021年10月現在、生きていれば38歳

## 強い雨の日、書道教室へ向かう途中で忽然と姿を消した8歳女児

# 野村香ちゃん失踪事件

強い雨の降る１９９１年10月1日、神奈川県横浜市旭区本宿町《ほんじゅく》の会社役員、野村節二さん（当時52歳）の次女・香《かおり》ちゃん（同8歳）が自宅から書道教室に向かう途中で行方不明となった。それから30年（２０２１年10月時点）。家族の願いも虚しく、香ちゃんの行方は一切わかっていない。

この日、香ちゃんが学校から帰宅したのが14時半頃。母親の郁子さんはパートに出ており、家には誰もいなかった。まもなく一つ違いの姉・梢ちゃん（同9歳）が帰宅。そのとき香ちゃんは自宅の部屋で机に向かい漢字ドリルをしていたそうで、その後2人は一緒におやつを食べた。

15時30分、姉は電子エレクトーン教室に通うため家を出る。このとき香ちゃんは居間で寝転がってドリルの宿題をしており、これが最後の目撃情報となる。

17時、母親が帰宅。玄関には鍵がかかっていた。香ちゃんは毎週火曜日に、自宅から約５４０メートル離れた書道教室（16～17時）に通っており、その日も書道教室の日だった。書道用具、傘、長靴がなかったため、香ちゃんは書道教室に出かけたものだと思われる。

いつもは香ちゃんは17時頃戻ってくるが、11月に書道の展覧会があるので、その作品制作に打ち込んでいるのだと、母親はさほど心配をせず、近くのスーパーに買い物に出かける。が、

失踪時8歳の香ちゃん（左）と、警察が作成した経年想像似顔絵による17歳時の容姿

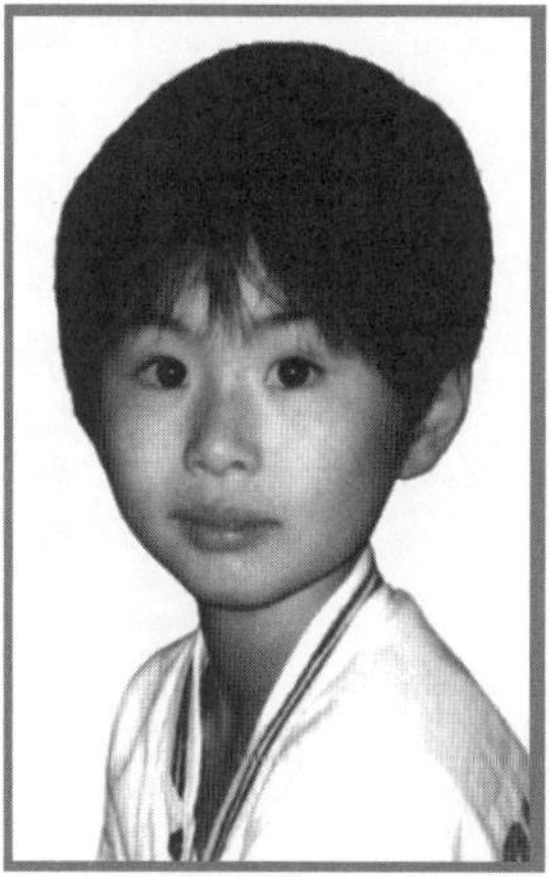

18時30分頃に自宅へ戻っても香ちゃんの姿がない。さすがに気になり書道教室に電話を入れると「もう誰もいません」との返答。そこで、香ちゃんと一緒に通っている友だちに電話をかけたところ「今日は来なかった」という。他の友だちと遊んでいた様子もない。不安にかられた両親が警察に通報するのは20時頃だ。

神奈川県警は「所在不明事件」として特別捜査本部を旭署に設置し、付近の河川や山、神社など6千ヶ所以上を捜索。寄せられた約1千200件の情報も一つ一つ潰していった。家族はテレビの公開捜査番組にも出演し、情報を募った。が、今日まで香ちゃんに関する有力な目撃情報はない。このことから書道教室に向かう途中、彼女は車で連れ去られた可能性が高いとみられる。その痕跡も、当日の強い雨にかき消されてしまったのかもしれないが。

## 自称〝補導員〟の中年男性が連れ去った疑い濃厚

# 佐久間奈々さん誘拐失踪事件

1991年10月27日夜、千葉県千葉市若葉区大宮台に住む中学1年生、佐久間奈々さん（当時13歳）は友人3人を自宅アパートに招いてお泊まり会を開いていた。当日は学校の中間試験の終了日で、翌日は休み。母子家庭だった奈々さんの母親がこの夜、千葉市内のスナックへ働きに出ていたこともあり、4人は気兼ねなく時間を過ごした。

深夜0時過ぎ、彼女らは近所のコンビニに買い出しに出かけた。が、あいにく店が閉まっており、約4キロ離れた若葉台の

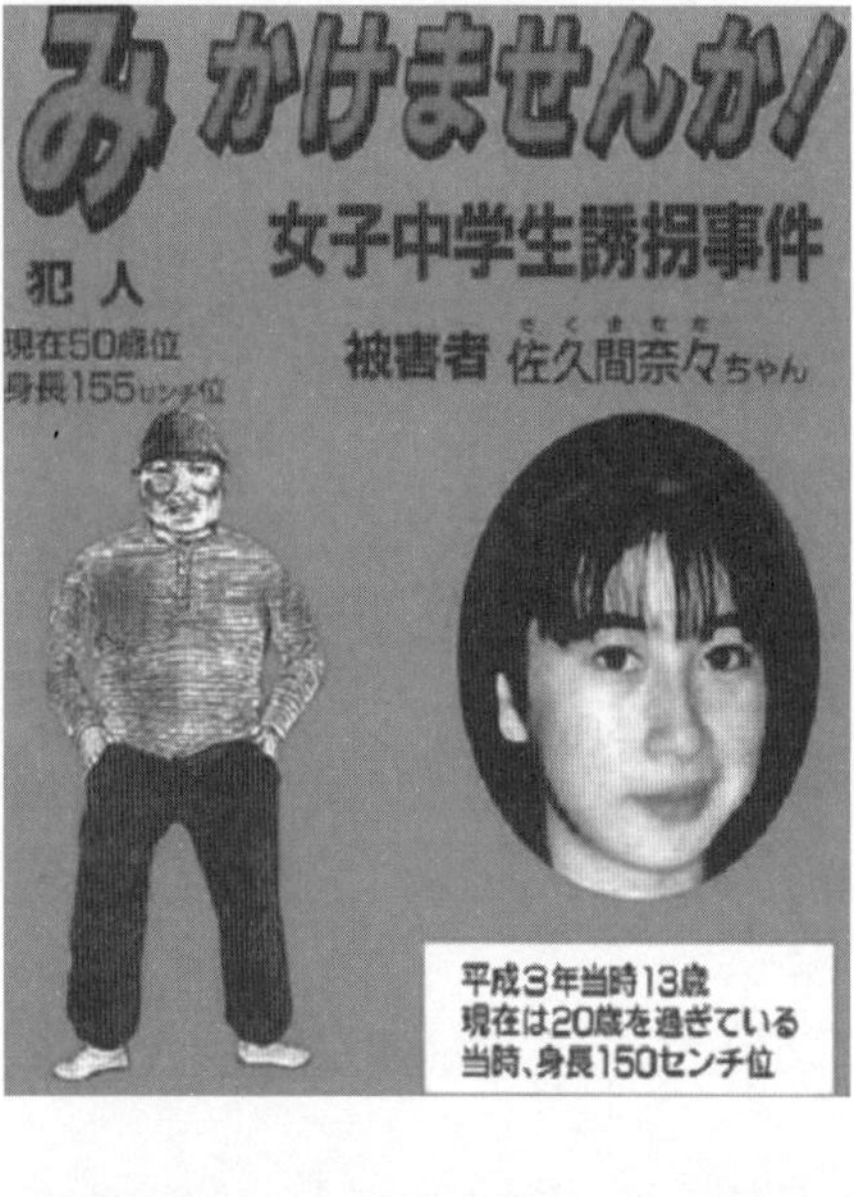


千葉県警が作成した情報提供を募るポスター。2020年9月現在、奈々さんも犯人らしき男も見つかっていない

コンビニまで自転車を走らせる。無事に夜食を購入し帰路へ。その途中で奈々さんが転倒してしまう。台風が過ぎ去った後で歩道には倒れたままの木々が転がっており、その一つに自転車がぶつかったのだ。4人が停止を余儀なくされたところに、身長155センチ、50歳前後の不審な男が現れる。男は奈々さんらをいったん追い越した後、振り返り、高圧的な口調でこう言ったそうだ。

「おまえら何やっているんだ。16歳未満の者が11時過ぎに歩いていると犯罪になる。普通なら警察に連絡するが、話を聞くだけで許してやる」

〝補導員〟を名乗る男は続けて「おまえが代表でついてこい」と奈々さんを指名、残り3人は帰るよう告げた。その中の1人が「(奈々さんの)自転車はどうすれば?」と恐る恐る聞いたところ、男は「後でトラックで運んでやる」と言い、そのまま奈々さんだけを細い道へと連れていったという。

3人は奈々さんのアパートへ戻ったものの、部屋の鍵は奈々さんが持ったまま。仕方なく外で帰りを待ったが1時間、2時間が過ぎても彼女は戻ってこない。心配になった彼女たちはそれぞれの自宅に連絡し、親たちと一緒に周辺一帯を探し回ったが奈々さんは見つからない。千葉県警東署に失踪届が出たのは午前4時20分頃だ。その後、警察の調べで、午前1時20分から30分頃に千葉市若葉区坂月町の交差点で、午前2時15分頃にモノレールの千城台北駅近くで、午前4時過ぎに若葉区千城台《ちしろだい》の住宅街で、奈々さんが男と一緒にいるところが目撃されていることがわかった。が、それ以降の情報はなく、彼女は今日現在も見つかっていない。奈々さんが男に誘拐された可能性は極めて高い。果たして、事件が解決する日は来るのだろうか。

## 人気バンド「マニックス」のギタリストが米ツアーへ向かう当日、消失

# リッチー・エドワーズ失踪事件

1986年に結成され、これまで13枚のアルバムをリリースしているイギリスのロックバンド、マニック・ストリート・プリーチャーズ（通称マニックス）。そのギタリストで作詞を担当していたリッチー・エドワーズが1995年2月1日、突如、行方不明となった（当時27歳）。

エドワーズがマニックスのメンバーに加わったのは1988年。3年後の1991年、バンドはメジャーデビューを果たすのだが、その際「アルバム1枚のみをリリースして世界各国で1位になって解散する」などと大口を叩いていたマニックスに対し、音楽雑誌『ニュー・ミュージカル・エクスプレス』の記者が「どれだけ本気なのか？」を尋ねたところ、エドワーズは所持していた剃刀《かみそり》で「4REAL（本気だ）」と左腕に傷をつけ、18針を縫う大怪我を負う。

この事件をきっかけにエドワーズはバンドの思想的・精神的支柱として存在感を強めていくが、しだいにうつ病や、リストカットやタバコの火を腕に押し付けるなどの自傷行為に加え、ドラッグやアルコール依存など様々な問題を抱えるようになる。その心の内をさらけ出すかのように1994年にリリースされた3枚目のアルバムは、エドワーズが作詞した陰惨で絶望的な楽曲で大半が占められており、彼はアルバム発売後、薬物更生施設に入所する。

その後、バンドに復帰したエドワーズは精力的にヨーロッパツアーをこなし、いよいよアメリカでのライブに向かう予定だったその日、ロンドン中心部のエンバシー・ホテルから姿を消

した。わかっているのは彼がホテルを朝7時にチェックアウトし、本人所有の車がまもなくして有料道路のセヴァーン・ブリッジの近くで見つかったことだけ。失踪後、世界各地から目撃情報が寄せられたものの、彼が精神的トラブルを抱えていたことから自殺と見る向きも多い。

精神的支柱を失ったことで解散も視野に入れ活動を休止したマニックスは、エドワーズの家族の願いもあり半年後に活動を再開。行方のわからぬエドワーズには2008年11月23日に死亡宣告が出された。

リッチー・エドワーズ。失踪を偽装したとする説もある

## GWのツツジ見物で多くの人出があったが目撃情報は皆無

# 赤城神社主婦失踪事件

1998年5月3日、千葉県白井《しろい》市在住の主婦、志塚法子さん（当時48歳）は、家族（夫、娘、孫、叔父、叔母、義母）と群馬県宮城村三夜沢《みよさわ》（現・前橋市三夜沢町）の赤城神社にツツジ見物に訪れていた。当日はあいにくの雨で、神社へ行く夫と叔父以外は駐車場に停めていた車の中で待つことに。しかし、しばらくして法子さんは「せっかくだから、お賽銭をあげてくる」と財布から賽銭用に101円だけを取り出し、神社への参道を登っていった。その際の格好は赤い傘を差し、ピンクのシャツに黒のスカートという目立つものだった。

残される形になった4人は、3人が神社での参拝を終えて帰ってくるのを待っていた。当時、娘の子供はまだ小さかったので、娘は車を降りて子供をあやしていたそうだ。そのとき、何気なく神社の方へと視線を移すと参道から離れた場所に佇む母・法子さんの姿が目に入った。娘は「あんなところで何をやっているのだろう?」と疑問に感じたものの、そのときはさほど気には留めなかった。しかし、これが法子さんの最後の目撃情報となる。

夫と叔父が帰ってきたのに一向に戻らない法子さんを心配した家族は辺りを捜すが、どこにも姿は見あたらず群馬県警へ通報する。警察は10日間で延べ100人を動員、付近一帯を捜索するも、やはり法子さんの行方は一切つかめなかった。参道は山道ながらもよく整備され、崖などの危険な場所や道に迷う箇所もない。また、当日はゴールデンウイーク中で境内には多く

失踪現場の三夜沢赤城神社（群馬県前橋市）

の人が訪れていたにもかかわらず、目撃情報は皆無。不審な人物や物音を聞いた人もいなかった。まさに神隠しである。

7ヶ月後、失踪当日の同じ時間帯の赤城神社で偶然撮影されたホームビデオが撮影者によってテレビ局に提供された。そこには法子さんと思しき女性が、誰かに傘を差し出すような姿が小さく映り込んでいた。しかし、その「誰か」が名乗り出ることはなかった。また失踪後、数回、法子さんの自宅に無言電話がかかっている。その局番は大阪と米子だったそうだ。

家族は必死に法子さんの行方を捜し、テレビ番組などにも出演し情報提供を募ったが、有力な情報が寄せられることはなかった。真相は藪の中だ。彼女はなぜ消失したのか。

## 自宅から600キロ離れたアーカンソー州で車を発見

# マシュー・ペンダーグラスト失踪事件

2000年12月1日、米テネシー州メンフィスに住む大学生マシュー・ペンダーグラスト（当時23歳）が忽然と姿を消した。この日の朝7時半、彼が自宅から愛車のトヨタ4ランナーでキャンパスへ向かったことはわかっている。が、ペンダーグラストが1限目のスペイン語の授業に姿を現すことはなかった。

自ら行方をくらます理由が全く見当たらないことから、事件と事故の両面から捜査を続けていた警察に有力な情報がもたらされたのは失踪から数日後。メンフィスから600キロ弱も離れたアーカンソー州ロノーク郡の私道の未舗装道路から少し離れた沼地で、ペンダーグラストの車が地元のハンターによって発見されたのだ。ドアはロックされておらずキーは差しっぱなしだった。

沼地の湿地帯ゆえに捜索は難航したが、2日目には車両からわずか90メートルの地点でペンダーグラストが着用していたジーンズ（ポケットに財布があり、中に身分証明書、クレジットカード、現金などが入っていた）、Tシャツ、靴、靴下が見つかる。しかも、それらは不自然なまでに全て綺麗に折りたたまれていた。さらに、車の中を念入りに調べてみるとペンダーグラストの日誌が見つかった。内容は極めて難解で、「不死を求める」という章では、「シルバーエルフ」と呼ばれる存在と、「水の中に入り、再び自然と一体になる」という記述があった。

全く意味不明である。が、最大の謎は、なぜペンダーグラストが自宅から遠く離れた地まで車を走らせたか、だ。両親や友人知人たちによれば、彼とアーカンソー州を結びつけるものは何もなく、おそらくこの地を訪れたことは一度もなかったという。

その後、警察の懸命な捜索にもかかわらず、ペンダーグラストの行動を示す痕跡は何も得られないまま事件は迷宮入りする。現在、推測されているのは、彼が不可解な日誌を残していたことから人知れず悩みを抱え遠く離れた場所で自殺を図った説、車を発見したハンターがペンダーグラストを誤って散弾銃で撃って殺してしまい、その遺体を処分したのではないかという説の2つだ。もちろん、どちらにもそれを裏づける証拠は何もない。

マシュー・ペンダーグラスト。生きていれば2021年10月現在、44歳

# ブリアンナ・メートランド失踪事件

## 行方不明の翌日、廃屋に後ろから突っ込んだ車を発見

2004年3月、米バーモント州モンゴメリーで当時17歳の女性ブリアンナ・メートランドがバイトを終えた後、姿を消した。翌日には乗っていた車を発見、数多くの目撃情報が寄せられ、連続殺人犯の関与も疑われたが、未だ彼女の行方はわからずじまいである。

失踪前年の2003年10月、メートランドはバーモント州バーリントンの実家を出て、友人の家を転々とした後、モンゴメリーから西に32キロ離れた町シェルドンに住む幼馴染の女性の家で同居を始めた。家族とトラブルがあったわけではない。純粋な独立心からの行動だったが、転校先の高校を2004年2月末までに中退。その後は、働きながら、高校卒業と同程度とみなされる「GED」試験に合格するためのプログラムに参加していた。

同年3月19日、メートランドはGEDの試験を受けた後、母親と昼食を共にする。試験の出来が良かったのか上機嫌で大学進学の計画について話していたそうだ。昼食を済ませた後、2人は買い物をしながら時間を過ごしていたが、その途中でメートランドが突然、「すぐに戻ってくる」と母親のもとを離れる。実際、彼女はさほど時間も経たないうちに、母が車を停めていた駐車場に帰ってきた。が、そのとき彼女は何かにひどく怯えている様子だったという。

母親はあえて詮索せず、娘が幼馴染と住むシェルドンの家に車で送り届ける。この後、メー

トランドは幼馴染に向け「週末は家には戻らず、月曜日に帰宅する」とメモ書きを残し、アルバイト先であるモンゴメリーのレストラン「ブラック・ランタン・イン」に車で向かう。バイトを終え店を出たのが23時頃。同僚は「明日は別の仕事に行かなければならないので、家に帰って休む」と言い車を走らせる彼女の姿を確認している。これがメートランドが最後に目撃された姿だ。

翌20日、「ブラック・ランタン・イン」から約1・6キロ離れた州道118号線沿いにある廃屋に、後ろから突っ込んだメートランドの車が発見される。報告を受けた警察は運転手が乗り捨てたものとして車を地元の車庫に引き取り、翌日、車の名義人である母親に連絡する。言い知れぬ不安を覚えた母親は、幼馴染や友人、バイト先などに電話をかけ娘の居場所を尋ねるも、誰もメートランドの行方を知る者はいない。ここで初めて娘の失踪を確信した母親は警察に届けを出す。

ブリアンナ・メートランド。失踪当時17歳

当初、警察は家出の可能性が高いと考え、探知犬も使いつつ廃屋

メートランドが皿洗いのアルバイトに就いていたレストラン「ブラック・ランタン・イン」。彼女が最後に目撃された場所でもある

周辺をしらみつぶしに調査した。が、メートランドの痕跡はどこにもなく、その後、当局は車が異常な状態で廃屋に置き去りにされていたのは事故を装うためで、彼女が何者かに誘拐されたと結論づける。

最初に疑われたのは、失踪3週間前、メートランドに暴行を働いた友人女性である。同じパーティに参加していたメートランドが異性と仲良く話していたことに嫉妬したのか、いきなり彼女を殴打。メートランドは抵抗せず、その後、トラックの中に身を隠していたが、そこで顔面を数回殴られ鼻の骨を折る大怪我を負った。しかし、警察の調べでこの友人女性はメートランド失踪に一切関与してないことが明らかになる。

情報も数多く寄せられ、その中に、メートランドがモンゴメリー近郊の家に拉致されているというものがあった。家の住人は警察も知る薬物売人の2人組。色めきたった当局は4月15日、家宅捜索に踏み切り、大量のコカインや大麻を発見するが、メートランドがいた痕跡はどこにもなかった。２００４年後半には、匿名の人物から、メートランドを失踪１週間後に殺害した旨を詳しく記した宣誓供述書が警察に届いた。しかし、これも裏が取れない。また２００６年、ニュージャージー州アトランティックシティにあるカジノの監視カメラに、メートランドと似た女性がポーカーのテーブルに座っているところが記録されていたことが判明するも、警察はこの女性の身元を割り出せなかった。

２０１２年には、メートランドが姿を消したバーモント州をはじめ、アラスカ州やオレゴン州、ワシントン州などで数多くの強姦や殺人を犯し逮捕されたイスラエル・キーズの関与が疑われた。が、同年12月、ＦＢＩはキーズと失踪との関連を正式に否定。キーズはその直後に自ら命を絶った。

失踪から17年。果たしてメートランドは生きているのか、それともすでにこの世にいないのか。両親は現在も彼女の帰りを心待ちにしている。

失踪翌日の2004年3月20日、廃屋に後ろから突っ込んだ状態で発見されたメートランド所有の1985年製オールズモビルのセダン。廃屋は2016年7月に火事で全焼した

# 元天才子役が謎の消失。車内に弟へ宛てた自筆のメモが ジョー・ピッチラー失踪事件

ジョー・ピッチラー（1987年生）は1990年代後半から2000年代前半にかけハリウッドで活躍した俳優である。6歳から演技の仕事を始め、1996年、9歳のときTVシリーズ「イン・ザ・ルーム」「ロイス&クラーク：スーパーマンの新しい冒険」、映画「ザ・ファン」でデビュー、天才子役として注目され、以降、毎年のように映画やテレビに出演。特に映画「ベートーベン」シリーズの第3作（2000）、第4作（2001）の演技は高い評価を受ける。

2003年、学業を優先させたい両親の意向で故郷のワシントン州ブレマートンの高校に転入。学校を出た後、再びロサンゼルスに戻り俳優としてのキャリアを重ねる予定だった。が、卒業後、親の勧めで歯の矯正を行うことになり、高校を出た2005年は、歯科医院通いとアルバイトの日々を送っていた。

事件は翌2006年1月5日の夜に起きる。この日、ピッチラーは友人の家で開かれたパーティに参加、酒とトランプを楽しんだ。参加者らによると、彼に特におかしい様子はなく「もうすぐハリウッドに戻り再ブレイクを果たすんだ」と終始上機嫌だったという。深夜、パーティがお開きとなり、ピッチラーは友人らを車で送った後、自宅に向かう。が、彼が家に到着することはなかった。この日の最後の痕跡は、午前4時8分に友人にかけた携帯電話の着信履歴だった。

子役として活躍していた頃（右）と、失踪時のピッチラー（当時18歳）

4日後の1月9日、ピッチラーの乗っていたシルバーの2005年製トヨタカローラが近所の川沿いで発見される。車内にピッチラーの姿はなく、財布と車のキーを除き全ての所持品が残されていた。その中に一つのメモが見つかった。自身の弟へ宛て「2人がより強い絆で結ばれた兄弟になること。自分の私物は全て弟に譲る」と記され、それは間違いなくピッチラーの筆跡だった。

遺書ともとれる内容に、警察は彼が発作的に川に飛び込み自殺したとの可能性を疑うが、捜索で彼の遺体は発見されていない。一方、両親や友人は、ピッチラーが俳優としての将来を熱望していたことから自ら命を絶つ理由はなく、犯罪に巻き込まれたと考えているそうだ。では、車内に残されていた自筆のメモは何を意味しているのか。2021年10月現在、ピッチラーの消息はわかっていない。

## 行方不明から13年後の2020年6月、重要容疑者が浮上
# マデリン・マクカーン失踪事件

日本でも大きく報じられたマデリン・マクカーン失踪事件。2007年5月、ポルトガルのリゾート地プライアダルスに休暇で訪れたイギリス人夫妻の3歳の娘マデリンが忽然と姿を消した事件である。

当時、マクカーン一家は、プライアダルスのリゾートマンションに滞在していた。5月3日の夜、両親が友人と近くのレストランに外出したのが21時。そのとき、マデリンが兄弟たちと一緒に、部屋ですでに眠りについていたことを父親が確認している。ところが、外から戻った母親が22時に部屋を覗いたところ、なぜかマデリンの姿がない。マンションの内外を捜しても見つからず、両親は地元警察に通報する。警察が多くの時間と人数をかけ近辺を捜索したものの、彼女の痕跡は何一つ発見できず、数週間後、両親とマデリンの兄弟は失意のままイギリスに帰国する。

両親はあきらめず、世界中にマデリンの情報を募った。結果、『ハリー・ポッター』の原作者J・K・ローリングやサッカー界のスーパースター、デビッド・ベッカムらイギリスの有名人がマデリンの情報提供を呼びかけ、両親はローマ教皇ベネディクト16世にも接見した。しかし、有力な手がかりは皆無。そのまま13年の月日が流れ、マデリン失踪事件は迷宮入りするものと思われた。

2020年6月、事件は大きな展開を見せる。ドイツ連邦刑事警察が、43歳のドイツ人男性がマデリン失踪に関与している可能性が高いと発表したのだ。当局やドイツのメディアによると、その男性は2005年9月、ポルトガルで当時72歳のアメリカ人女性をレイプした罪によりドイツで裁判にかけられ、有罪判決を受け、現在、ドイツ北部キールの刑務所に服役中だという。

男性はポルトガルに10年以上住んでいたが、ドイツやその他の国で、子供から大人まで年齢を問わず女性への性犯罪を繰り返していた。マデリンが姿を消した2007年には、一家が泊まっていたプライアダルスのリゾート付近に住んでいたことも判明している。また、警察はマデリンの失踪当日、家族が宿泊していたリゾートマンションの近くで、短くて明るい髪の色をした、その男に似た男性が潜んでいるのが目撃されていることも公表。さらに、失踪当日、マデリンが最後に目撃された1時間前、この男がプライアダルスで30分間、誰かに電話をかけたこと。その翌日、

マデリン・マクカーン。失踪当時3歳

マデリンが誘拐されたポルトガル・プライアダルスのリゾートマンション

男が自分の車の所有権を名義上、他人に譲渡したものの実際は自分が運転していたこと。彼がホテルや別荘から盗みをし、またお金を稼ぐためにリゾートで麻薬を売っていたとも発表している。

イギリス警察も記者会見を開き、「大きな進歩」と認めつつも、この事件は殺人捜査ではなく、未だに「行方不明者」の捜査段階であると強調した。一方、ドイツの警察署長はテレビに出演し、この容疑者が、マクカーン一家が滞在していたリゾートマンションに盗みに入り、行き当たりばったりでマデリンを誘拐した可能性についても調査中だと明らかにした。

マデリンの両親にとって、このニュースは大きな衝撃だった。が、同時に彼らは複雑な思いも抱えている。娘の失踪以来、両親はネット上でありとあらゆる誹謗中傷を受けてきた。子供たちを置いて外食に出かけたことへの非難をはじめ、特に母親に対しては「おまえがマデリンを殺した」と根拠のない声がで届き、彼らは名誉毀損の裁判まで起こしている。

多くの有名人が捜索を呼びかけたことで注目を浴びたこの事件は、ポルトガル警察の初動捜査の不手際、そこに介入したイギリス警察との見えざる敵対関係などが捜査を阻んだと言われている。そして現在、ドイツの刑務所にいる容疑者の起訴が、各国の異なる法律により複雑化することも懸念されている。果たして、このドイツ人男性が警察の読みどおりマデリンを誘拐したのか。今後の展開が注目されるが、男性は黙秘を続けており、容疑者を匿名にするドイツのプライバシー法のため、彼の名前も明らかにされていない。

2012年、失踪から5年後のマデリンの
成長予想画像を手に情報提供を呼びかける両親

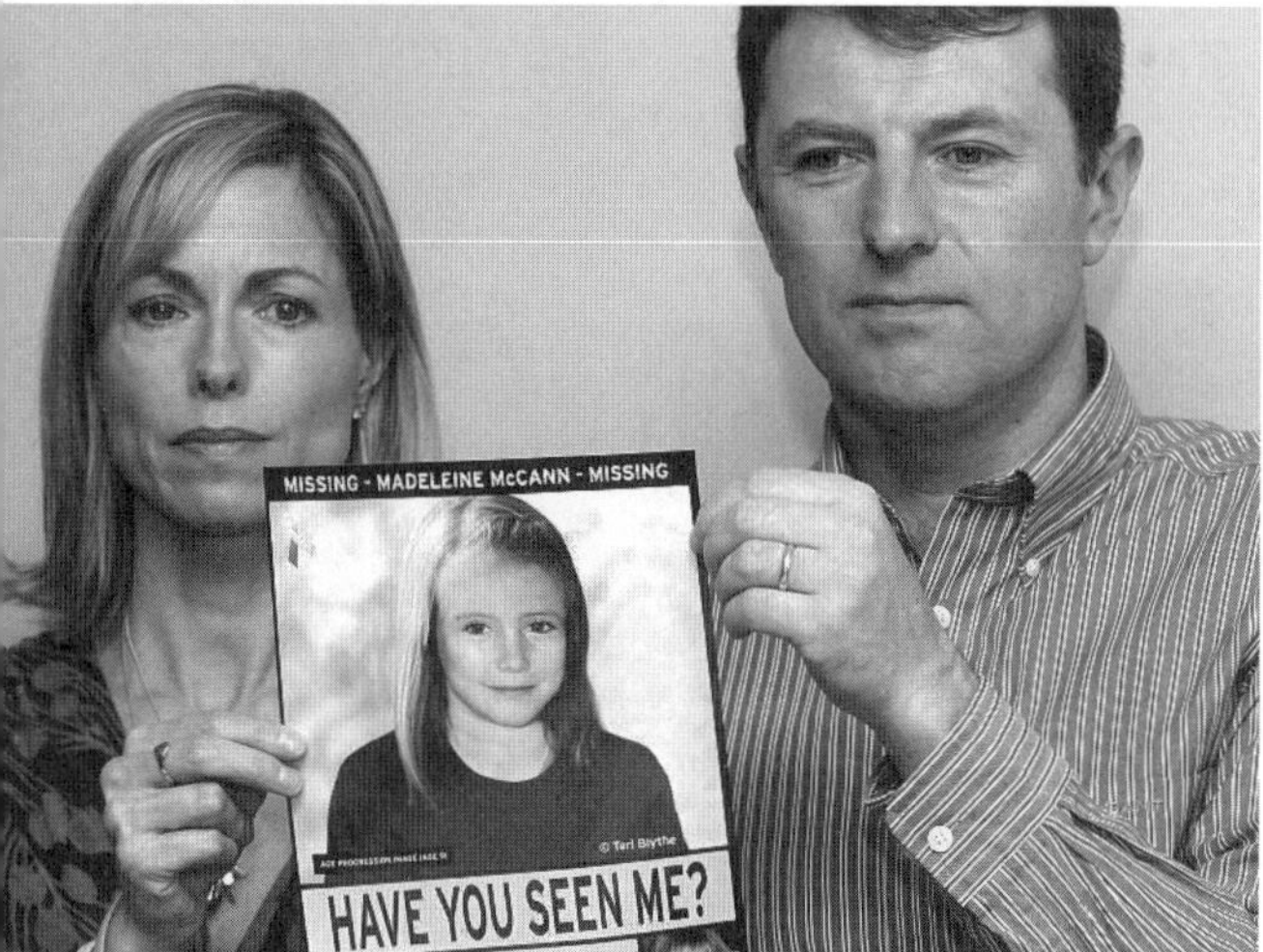

## 同級生と遊歩道を散策中、神隠しのごとく消えた小学5年生

# ひるがの高原キャンプ場女児不明事件

2009年7月24日、岐阜県郡上《ぐじょう》市高鷲《たかす》町の「ひるがの高原キャンプ場」で、愛知県常滑《とこなめ》西小学校5年の下村まなみさん（当時10歳）が、4人1組で場内の遊歩道を散策中、突如姿を消した。同級生や学校関係者ら約100人が周囲にいる状況下、さらにはキャンプ場という開放的な場所で発生したこの事件は多くのメディアで〝現代の神隠し〟として報道され、2020年9月現在も未解決である。

まなみさんは3人姉妹の末っ子。ダウン症と診断され、生後まもなく心臓を手術した。失踪当時、身長120センチ、体重20キロと小柄で体も弱く、普段の学校生活においても、教員や同級生の補助を必要としていた。

まなみさんは、失踪前日の23日から3日間の予定で、

忽然と姿を消した下村まなみさん

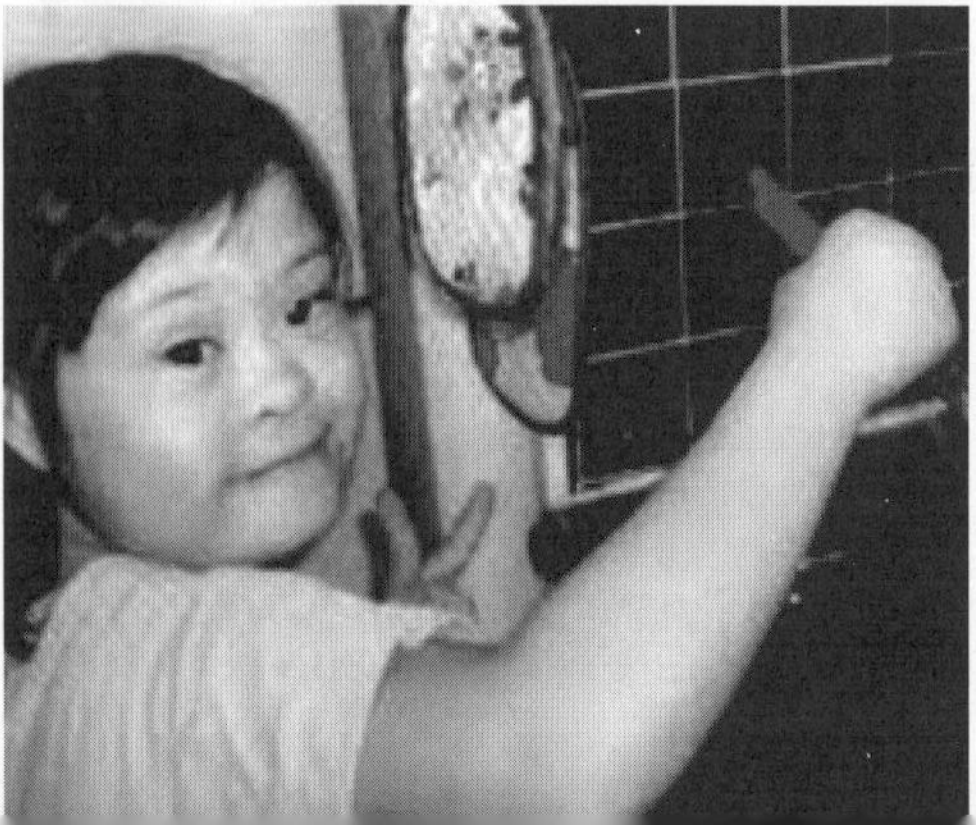

同校5年生の恒例行事である野外授業として、児童85人と校長・教員ら数名とともに、隣県のひるがの高原キャンプ場を泊まりがけで訪れていた。2日目の24日午前7時30分頃、同級生の女子3人と一緒に、当日夜に予定されていた〝肝だめし〟のルートの下見へ。このとき、彼女は万が一迷子になってしまったときのことを考えていたのか、自分の名前が記入された赤いストラップを首からかけていた。

最後にまなみちゃんを目撃した常滑西小学校校長の証言によると、午前8時を回る少し前、まなみさんら4人は遊歩道にある林道のカーブに立っていた校長の前を通過したそうだ。このとき、まなみさんは他の3人から20メートルほど離れて歩いていたが、普段は疲れてすぐにしゃがみ込んでしまう彼女が休憩もせず張り切っている姿に、校長は「頑張れ」「大丈夫か」などと声をかけたという。

しかしその直後、引き返してきた女の子たちから「まなみさんの姿が見えなくなった」と知らされる。校長が彼女の姿を確認してからわずか10分間の出来事である。

失踪の通報を学校から受けた岐阜県警は、すぐに同施設の捜索を開始する。約15万平米もあるキャンプ場の敷地内はもちろん、藪の中や林道の奥、周辺の建物などをくまなく捜した。県警、市消防、ボランティアなど動員された数は延べ1千700人。それだけの大人が7日間、懸命に捜しても、まなみさんの遺留品一つ発見できない。3年後の2012年には池の水を抜いて土を掘り起こすという捜索も行われたが何の成果もあがらなかった。

目撃情報も痕跡もゼロ。まさに神隠しとしか言いようのない事件である。いったい、まなみ

失踪現場の、ひるがの高原キャンプ場（岐阜県郡上市高鷲町）

さんはどのように消失したのか。失踪当時、郡上市の各地でツキノワグマの出没も目撃されていたことから、事件発生当初は「クマに襲われたのではないか」との予想もなされた。しかし、警察の捜索で衣服や靴などが発見されていないことから、その可能性は極めて低いと思われる。

最も可能性が高いと考えられているのは、何者かが彼女をさらったとする誘拐説だ。当日のキャンプ場は常滑西小と西浦南小（愛知県常滑市）による貸し切りであり、他に一般の利用客はいなかった。が、不審者が徒歩で敷地内に侵入した可能性もありうる。もっとも、誰にも目撃されず小学5年生の女の子を連れ去ることが可能かといえば首を横に振らざるをえない。

外部の人間が誘拐するにはリスクが高すぎるということから、行方不明になる直前にまなみさんを目撃していた校長が犯人ではないかという説も浮上した。彼女がダウン症で周囲のサポートを必要としていたにもかかわらず、同級生よりも遅れて歩くまなみさんを見守るだけで、一緒に歩いてあげるなどの行動を起こさなかったことに批判が集まり、校長が嘘をついているという意見が出たのだ。が、それもありえない。校長は当日、現場から離れておらず、まなみさんをどこかに隠すなど絶対不可能だ。

2016年、フジテレビ系の特別番組「特捜！最強FBI緊急捜査！」が警察犬の力を借り、まなみさんの手がかりを捜索したものの、成果はなし。岐阜県警もこれまで延べ約4千人を動員して捜索を続けてきたが、解決の糸口すらつかめていない。まなみさんの母親は今も彼女の写真や特徴を記したチラシやティッシュを配り、1日でも早く娘が見つかることを切に願い続けている。

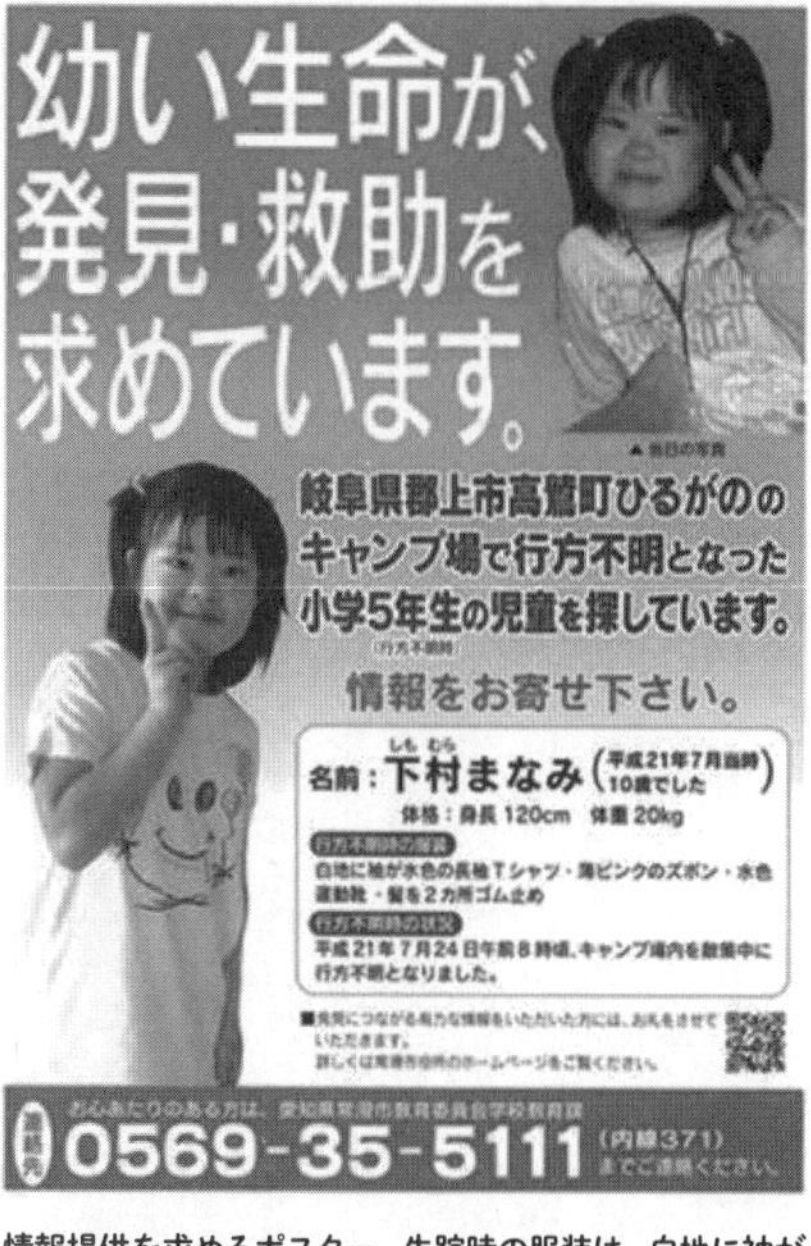

情報提供を求めるポスター。失踪時の服装は、白地に袖が水色の長袖Tシャツ（ウサギの絵入り）、薄ピンクのズボン、水色運動靴、髪を2ヶ所ゴム留め

# 大分県日出町主婦失踪事件

## 自宅から本人の枕と長女のバスタオルが消えていた謎

２０１１年9月12日、大分県速見郡日出町《はやみひじ》（人口約2万8千人）に住む当時35歳の主婦、光永マチ子さんが行方不明となった。この日、マチ子さんは体調がすぐれず朝の支度が遅れ、子供たちを車で小学校まで送り届けた。午前9時45分頃、学校から「長女の歯が欠けたので迎えに来てほしい」と連絡があり再び車で小学校へ向かう。10時過ぎ、長女を引き取り歯医者へ。治療を終えた後、近くのスーパーへ寄っており店の防犯カメラには、2人がお茶などを買う姿が映っていた。11時30分頃、長女を学校に送り届け、彼女は娘に「体調が悪いので家で寝ている」と言い残し学校を後にする。これがマチ子さんが確認された最後の姿となる。

15時頃、長女が帰宅。このとき玄関は施錠されていなかった。用心深い母にしては珍しいと思いながら部屋へ。と、寝ているはずの母親がいない。その後、長男や夫が帰宅しても、マチ子さんが自宅に戻ることはなかった。

心配した夫が警察に連絡し、すぐに捜索活動が始まった。と、ここで不可解なことがわかる。部屋から持ち出すことはなかったというマチ子さんの枕、長女のバスタオル、マチ子さんのビーチサンダルにバッグとポーチ、さらに車の鍵がなくなっていたのだ。にもかかわらず、車は自宅に残されており、マチ子さんの携帯電話も自宅に置いたままだった。なくなったバッグには、マチ子さんと子供らの健康保険証、クレジットカードなどが入っていたが、失踪後に使われた形跡はないそうだ。

警察は家から消えたものが日用品ばかりだったことから、当初家出の可能性も疑っていた。が、家族はもちろん、近隣の人々は「子煩悩だったマチ子さんが突然家出するとは考えられない、事件に巻き込まれた可能性が高い」と口を揃える。では、自宅から消えたマチ子さんの枕と長女のバスタオルは、いったい何を意味しているのだろうか。２０２０年９月現在、彼女の消息は不明のままだ。

ちなみに、マチ子さんの失踪翌日、同じ日出町内に住む2歳女児が行方不明となり、その３ヶ月前には同じ町内の高齢夫婦の刺殺体が発見されていた。警察は３つの事件の関連性を疑ったが、後に2歳女児は母親が殺害し死体を遺棄していたこと、高齢夫婦は無理心中だったことが判明した。

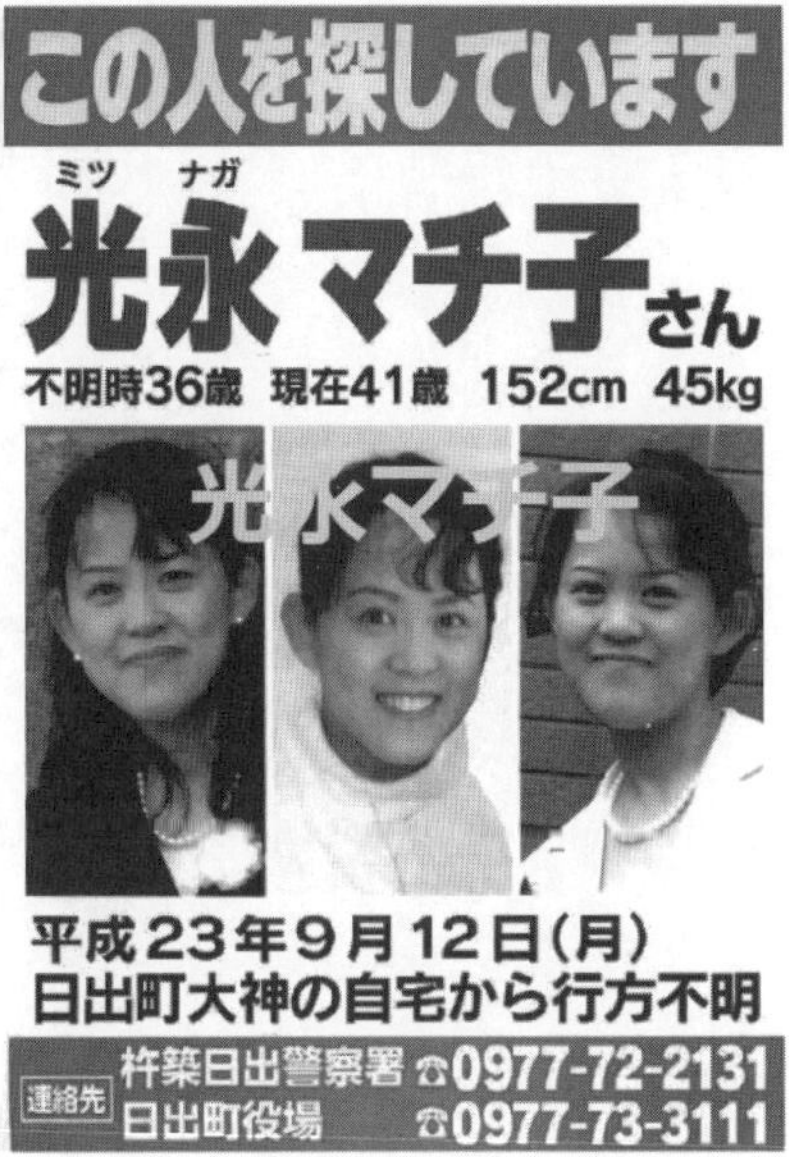
この人を探しています
光《ミツ》永《ナガ》 マチ子さん
不明時36歳 現在41歳 152cm 45kg
平成23年9月12日(月)
日出町大神の自宅から行方不明
連絡先
杵築日出警察署 ☎0977-72-2131
日出町役場 ☎0977-73-3111

情報提供を呼びかけるポスター。2021年10月現在、46歳

# 公衆電話から「タスケテ！　トモヒロ！」と記されたメールが
# 北海道旭川中1男児行方不明事件

2012年1月15日、3学期の始業式を2日後に控えた冬休みの夜、北海道旭川市に住んでいた北海道教育大学附属旭川中学1年生の佐藤智広《ともひろ》さん（当時13歳）が家を飛び出した後、行方不明になった。

その前日、智広さんは2歳年上の姉とテレビのチャンネル争いでちょっとした喧嘩になり、腹を立てた勢いで壁に穴をあけ、大事にしていたゲーム機を壊していた。翌日、母が息子に事情を聞いてまもない21時過ぎ、突如、彼は家を出ていく。昨日からの経緯があっただけに、少し1人になりたいだろうと母親はさほど心配していなかった。しかし、1時間経っても息子は戻ってこず、車で辺りを捜し始める。当日の外の温度はマイナス15度。その中をズボンに薄手のジャンパー1枚という軽装で出ていった智広さんが遠くに行くはずはない。しかも携帯電話も持たず、所持金はわずか1千円程度である。が、付近で営業するコンビニ2軒とファストフード店を覗いても息子の姿はどこにも見当たらなかった。

翌日、母親から捜索願を受けた旭川東警察署は失踪当日の夜に智広さんが交通機関を利用していないか近隣のバス、JRの防犯カメラを確認、タクシー会社にも聞き込みを行ったが彼を確認することはできない。続いて、事件や事故に巻き込まれた可能性も視野に入れ、ヘリコプターを使って智広さんの自宅近くを流れる川などを上空から捜索したものの何の成果もあがら

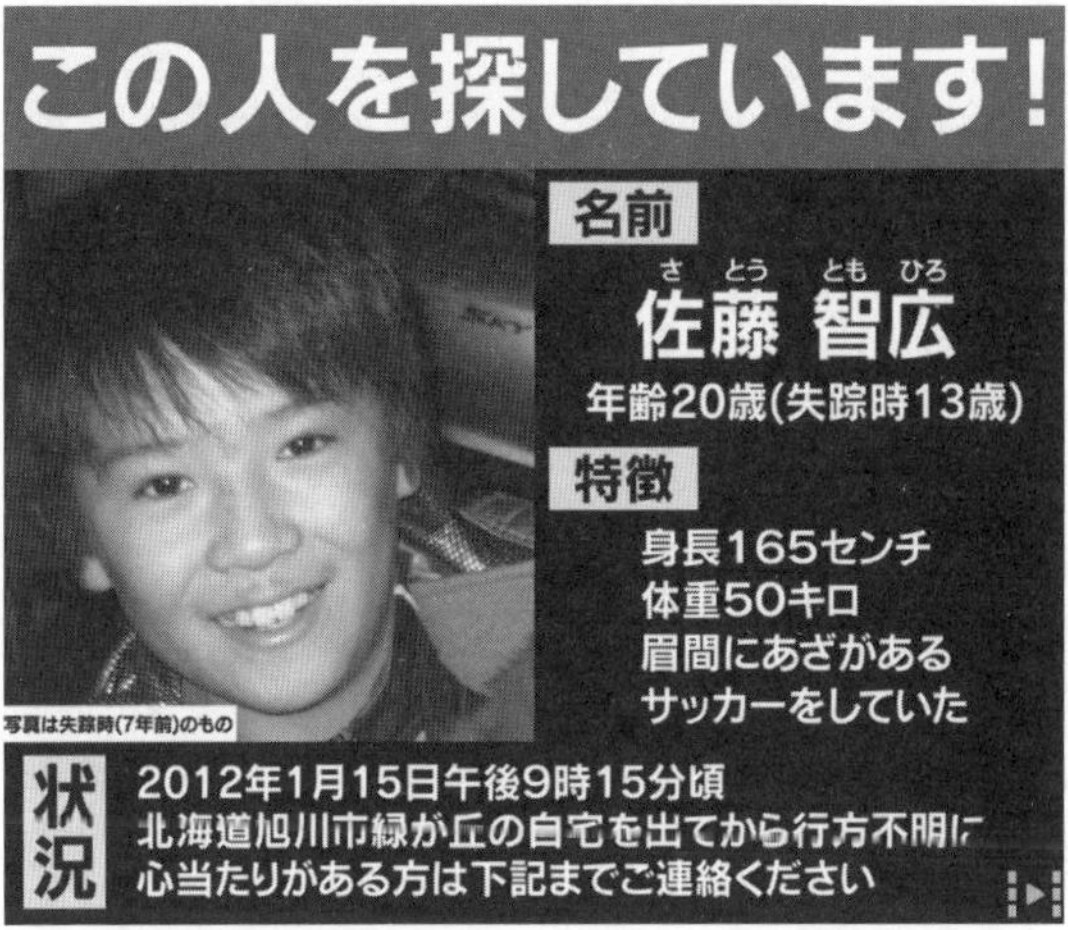
この人を探しています！
名前
佐藤《さとう》 智広《ともひろ》
年齢20歳(失踪時13歳)
特徴
身長165センチ
体重50キロ
眉間にあざがある
サッカーをしていた
写真は失踪時(7年前)のもの
状況
2012年1月15日午後9時15分頃
北海道旭川市緑が丘の自宅を出てから行方不明に
心当たりがある方は下記までご連絡ください

今も行方がわからない佐藤智広さん

なかった。

　やがて、３年の月日が流れ、テレビの行方不明者捜索番組に出演した母は、番組スタッフから東京・新宿で智広さんの目撃情報が寄せられたとの報告を受ける。すぐに新宿へ向かい、行方不明者捜索の手助けを行うＮＰＯ法人の協力で聞き込みを行ったところ、新宿２丁目のコンビニで息子に似た人物を見かけたとの情報を得る。もしかしたら、智広さんはこの町に住んでいるのか。母親はさらに捜索を続けたが、それ以上の情報は得られずじまいだった。ちなみに、２０１６年と２０１９年の２回、母親は自身の携帯に公衆電話から「タスケテ！　トモヒロ！」と記されたショートメールを受け取っている。果たして、これは智広さんが送信したものなのか。２０２０年９月現在、彼の行方は不明のままだ。

## デモ弾圧ではなく麻薬トラブルが真相⁉

# メキシコ・イグアラ市学生集団失踪事件

2014年9月、メキシコ南部ゲレロ州イグアラ市で、アヨツィナパ教員養成大学の学生43人が拉致され、行方不明になる事件が起きた。メキシコ検察当局は「市長らが学生を麻薬密輸グループに引き渡し、学生は殺害され死体は燃やされて灰も川に捨てられた」と発表したが、後に多くの矛盾が判明。事件は未だ解決に至っていない。

ゲレロ州アヨツィナパにあるアヨツィナパ教員養成大学は、伝統的に貧しい農村部出身の若者を積極的に入学させる方針を採り、多くの左翼活動家を輩出してきた学校だ。2011年12月には、ゲレロ州の州都チルパンシンゴで抗議デモ中に同校の学生とメキシコ連邦警察および州警察が衝突、学生2人が命を落とす事件が起きている。

2014年9月26日、同校の学生たちは抗議デモに向かうため、バス会社から運転手付きでバスを無賃で借りるという伝統に則り、バス5台でイグアラ市を目指した。事件が起きたのは同日21時30分頃。バスの列が街の中心街を出ようとしていたとき、突然警官が発砲し、その場で学生3人が死亡。さらに43人の学生が拉致され行方不明になった（他に、偶然近くを通りかかったタクシーや別のバスで移動中だったサッカー選手らが銃弾を受け3人が死亡している）。

当初、検察は以前からアヨツィナパ教員養成大学がイグアラ市市長と対立しており、学生ら

失踪したアヨツィナパ教員養成大学の学生43人

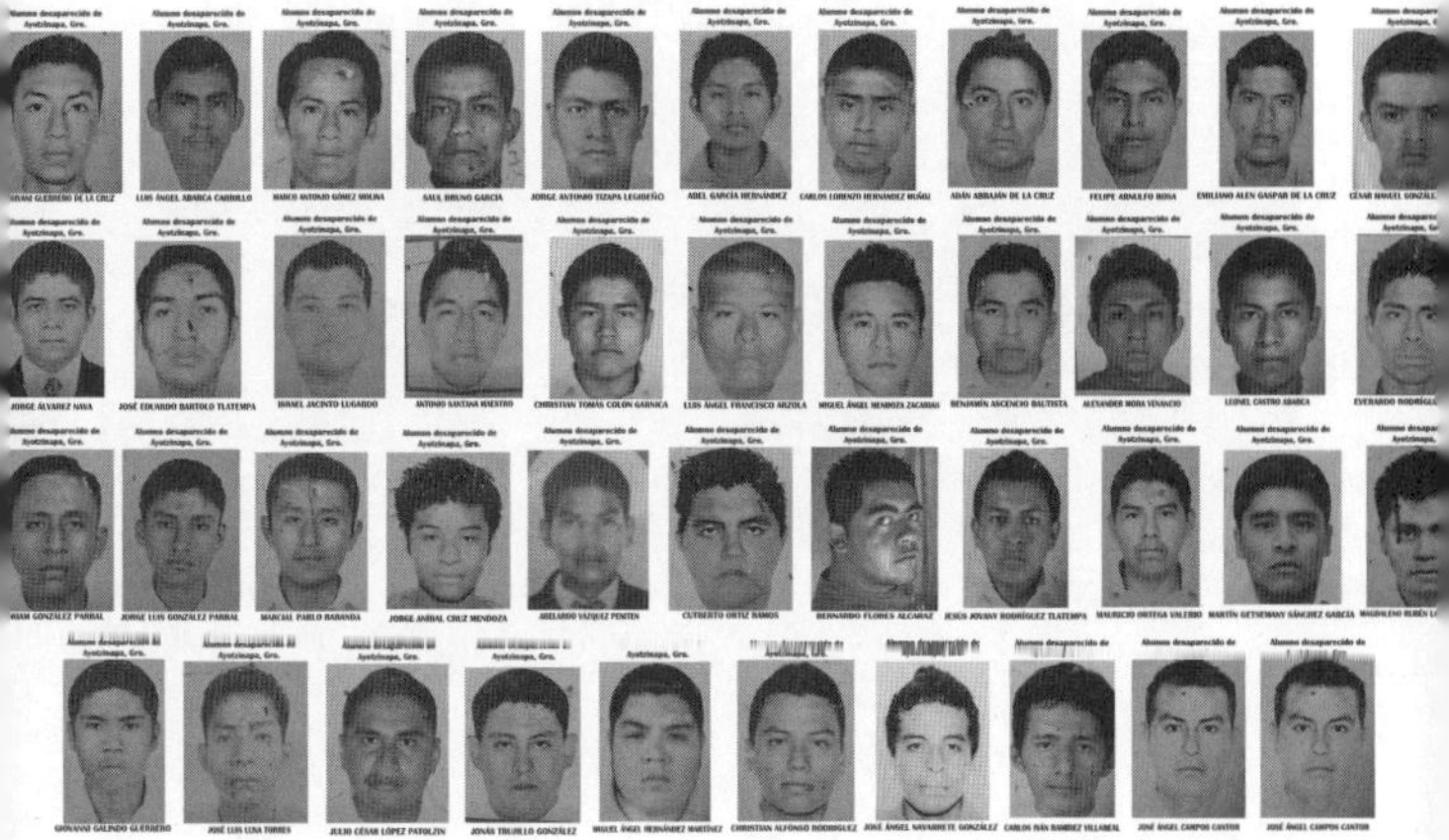


が市長夫人が主催する慈善イベントの妨害に来たため、市長が警官らに命令して襲撃させたと発表。さらに、拉致された学生43人は麻薬密輸組織「ゲレロス・ウニードス」に引き渡され、マフィアが学生たちを殺害、隣町コクラ市の露天のゴミ集積所でガソリンや古タイヤで遺体を焼き、遺灰を川に捨てたことを公にし、首謀者の市長夫妻を逃走先のメキシコ州の隠れ家で逮捕する（他に警察官36人、ゲレロス・ウニードスのメンバー数人など計72人が逮捕）。しかし、市長夫妻は容疑を否認。

実際、バスに乗り込んだ学生らがイグアラ市に到着したとき、すでに市長夫人のイベントは終了しており、夫妻は中央広場の脇のタコス屋で夕食中だった。

事件の首謀者として逮捕されたイグアラ市市長ホセ・ルイス・アバルカ(右)とその妻マリア・デ・ロサンヘレス・ピネダ。妻の亡くなった兄弟らは地元麻薬組織「ゲレロス・ウニードス」と密接な関係にあったそうだ

同年12月7日、オーストリアのインスブルック大学に委託されていたDNA検査により、遺灰の中から行方不明の学生の1人と合致するものが発見される。しかし、同時に分析を委託されていたアルゼンチンの法医人類学のチームは、メキシコ検察に川から出たものとして灰の袋を渡されただけで、その出所は明確ではないと発表。ますます謎が深まる。

多くの国民は、イグアラ市長夫妻首謀でマフィアが学生を殺害したとする検察の見解を疑っていた。そこで米州人権委員会が第三者委員会を立ち上げ、事件の解明に乗り出す。調査結果は翌2015年9月に公表され、それはメキシコ検察の発表を全面的に否定するものだった。

調査報告書は、学生の遺体がゴミ集積所で焼かれたとされる当日は雨で、43人の遺体を完全に焼却することは不可能としたうえで、日常的に麻薬マフィアが長距離バスを使い密かにアメリカにヘロインを運んでおり、そのルートは米シカゴ市とメキシコのイグアラ市を結ぶものだと指摘。事件当日、学生が調達した5台のバスのうちの1台にバス会社了承のもと麻薬が積み込まれており、学生がそれと知らずにバスに乗り込んだ結果、マフィアおよびマフィアと結託した警察が、当バスがイグアラ市から出ることを阻止すべく襲撃した。したがって、今回の事件は当初考えられていたようなアヨツィナパ教員養成大学の学生たちに対する政治的弾圧ではなく、麻薬密輸のトラブルと関連があると結論づけた。

しかし、この第三者委員会の調査結果にも疑問は残る。もし学生がゴミ集積所で燃やされていないとしたら、いったい彼らの遺体はどこに行ったのか。明らかになっていない事実がさらにあるとして、メキシコ国民は第三者委員会の再調査を期待しているそうだ。

事件後、メキシコ内外で真相究明と学生たちの
奪還を求める抗議デモが沸き起こった。写真のビラには
「生きて連れていったのだから、生きたまま戻せ」と書かれている

# 大分女性会社員失踪事件

## 深夜、友人とLINEでやり取りしたのを最後に消息不明に

2016年9月25日深夜、大分県大分市の会社員、五條堀《ごじょうぼり》美咲《みさき》さん（当時24歳）が行方不明となった。この日、五條堀さんの自宅アパートに遊びに来ていた友人女性が帰ったのが23時30分頃。1時間半後の深夜1時頃、友人と無料通話アプリLINEでやり取りしていたが、翌日出社してこない彼女を案じた同僚が自宅を訪問。施錠された部屋に五條堀さんの姿はなく、部屋が荒らされたり誰かと争った形跡もなかった。

福岡県久留米市出身の五條堀

この人を
さがして
探しています！
五條堀《ごじょうぼり》 美咲《みさき》さん（24歳）
本人の特徴
身長：149cmくらい　やせ型
黒髪のセミロング
平成28年9月25日午後11時30分頃から、
大分市大字横尾に住む
五條堀美咲さんの行方がわからなくなっています。
どんな情報でもお知らせください
大分東警察署：097-527-2131

行方不明の五條堀美咲さん

さんが、東京のアパレル会社が運営する大分市内の店舗に勤めるため同市に居住したのは失踪1年半前の２０１５年3月。現地での友人は比較的少なく、交流の場は主にＳＮＳで、〝友人〟の数は1千人以上いたらしい。そのため、両親から届け出を受けた大分県警はＳＮＳの交友関係に絡み事件や事故に巻き込まれた可能性があるとみて、五條堀さんのアクセス記録を調べるべくＳＮＳの運営会社に問い合わせたが、ほとんどは海外の企業で非協力的。公開されている五條堀さんのサイトで特定できた友人からも有力な情報は得られなかった。

五條堀さんの自宅からはスマートフォンとバッグがなくなっている。スマホの電波が最後に確認されたのは9月26日午前6時頃、自宅の周囲数キロ圏内だった。県警は近隣への聞き込みはもちろん、自宅近くの公園の池の水を抜くなど、これまで延べ約2万3千人を動員して捜索に当たってきたものの、彼女の行方も、所持していたと思われるスマホやバッグも見つかっていない。

友人と深夜にＬＩＮＥでやり取りした後、何らかの理由で外に出て、午前6時頃まで自宅近くにいたことは容易に想像できる。が、その後、彼女の身に何が起きたのか。２０２１年10月で失踪から5年。警察、両親は五條堀さんに関する情報を募っている。

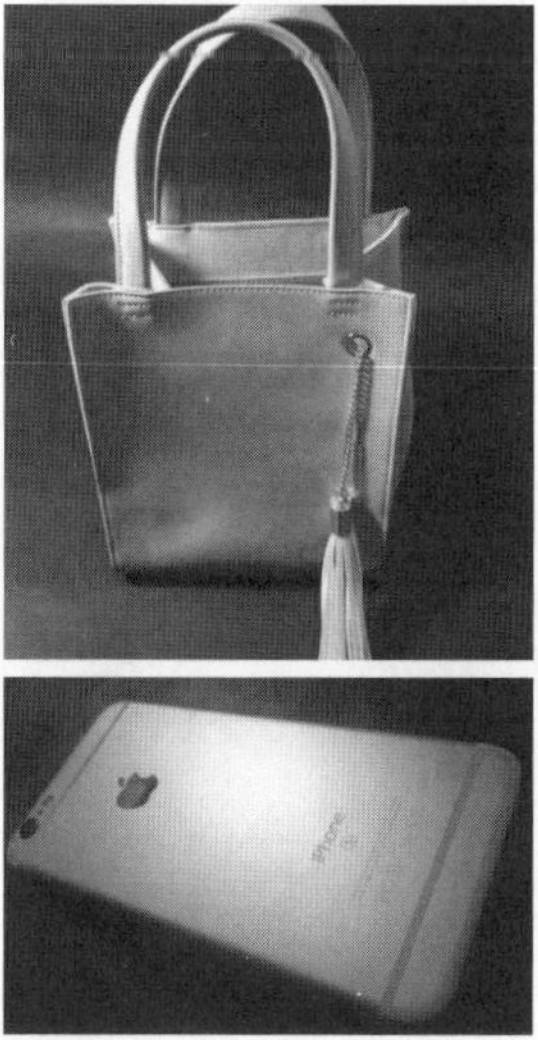

部屋からなくなっていたのと同じバッグとiPhone 6s（大分県警公開）

## 失踪した女児の母親にSNS上で心ない誹謗中傷が

# 山梨キャンプ場小１女児失踪事件

山梨県道志《どうし》村の椿荘オートキャンプ場は富士山から30キロ離れた山あいにあり、週末や連休には家族連れで賑わう場所である。２０１９年９月21日、千葉県成田市の小学１年生、小倉美咲《おぐらみさき》ちゃん（当時７歳）は、母親や姉、友人ら計８家族約30人で同キャンプ場を訪れていた。森や広場が点在する場内南側にテントを張り、２泊３日のキャンプを行う予定だった。

15時40分頃、美咲ちゃんは「遊びに行ってくるね」と母親に告げ、キャンプ場から約１５０メートル離れた河原に遊びに行った友達らを１人で追いかける。20分後、友達らが戻ってきた。が、そこに彼女の姿はなかった。友達らは美咲ちゃんを一切見ていないという。案じた母親らが周囲を捜したものの美咲ちゃんは見つからず、山梨県警大月署に通報。すぐに警察、消防、自衛隊、ボランティアらによる大規模な捜索が始まった。が、一向に彼女の消息はわからない。

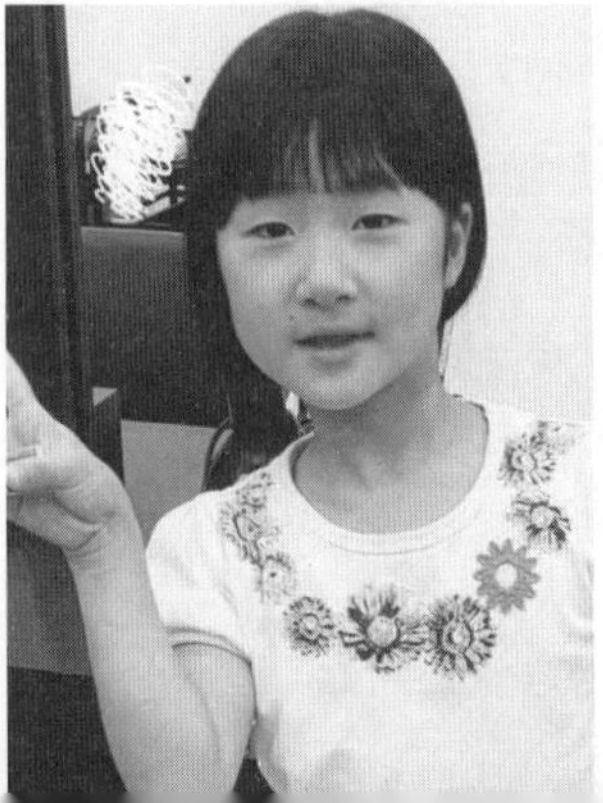

神隠しのように消失した小倉美咲ちゃん

キャンプ場の見取図
（椿荘オートキャンプ場の公式サイトより）

母親が美咲ちゃんを最後に見たのは、キャンプ場を下って車が通れる舗装された道の先だ。ここから彼女はどこへ向かったのか。考えられるのは5つ。他の子供たちが遊んでいた河原。目撃場所から北西に直進した場所にある下に川が流れる橋、もしくは砂利道。目撃場所から北西に進み分岐を5分ほど北へ行ったテニスコート。目撃場所から北東に行った別荘地。キャンプ場を抜け北方面の国道へ続く車道。捜索隊はこの全てをくまなく捜したが、美咲ちゃんの痕跡は皆無。目撃情報も全くなかった。

では、彼女はどこに消えたのか。道に迷った末、足を滑らせ沢に落ちたのか。あるいは、何者かに拉致・誘拐されたのか。失踪から10日目の10月1日、ボランティアとして捜索活動に参加していた男性が子グマ2頭に遭遇、逃げる際に転倒して右手と右足首を骨折する怪我を負ったことから、美咲ちゃんがクマに襲われた可能性も疑われたが、その痕跡は全く見当たらなかった。

　この事件で特筆すべきは、美咲ちゃんの母親とも子さんに心ない誹謗中傷が寄せられたことだろう。彼女は失踪から9日目の9月30日、記者会見に応じ「私があのとき、ちゃんと一緒についていてあげたらと、悔やんでも悔やんでも、悔やみきれないほど後悔しています。美咲のことを信じ、1秒でも早く無事に見つかってくれることを祈って、これからも私たちは全力で捜し続けたいと思っています」と涙ながらに情報提供を訴えた。

　時を同じくして、SNS上で彼女を怪しむ声が数多く散見されるようになる。曰く、こんなとき美容院に行ったり捜索のための募金を呼びかけたり何だか違和感しかない、自分だったら食事もとれないし気が狂いそうなのにやつれた様子がない、美咲ちゃんは最初からキャンプに参加していなかったのではないか、自作

情報提供を求めるチラシを配る美咲ちゃんの母とも子さん（中央。「産経ニュース」より）

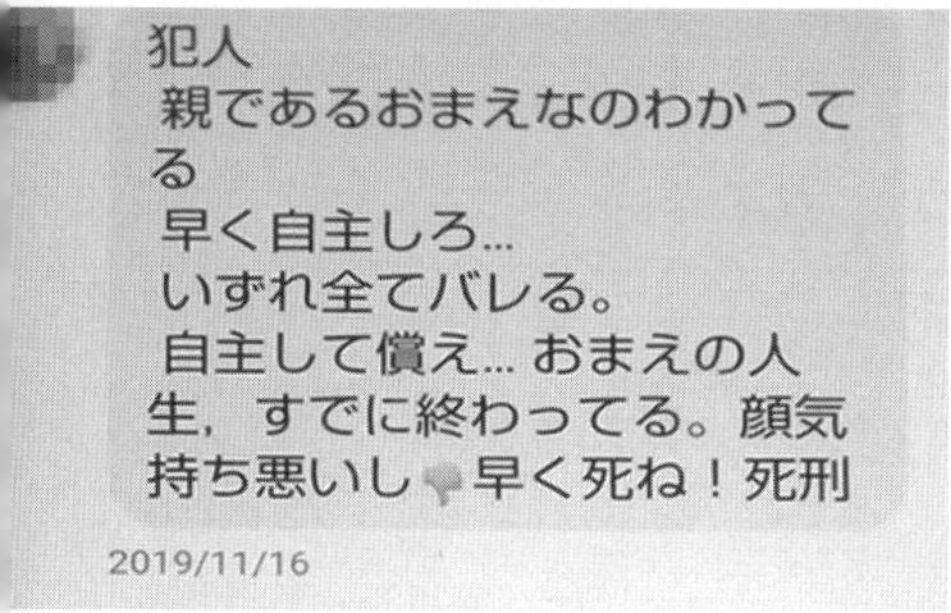
犯人
親であるおまえなのわかってる
早く自主しろ...
いずれ全てバレる。
自主して償え... おまえの人生，すでに終わってる。顔気持ち悪いし 早く死ね！死刑
2019/11/16

とも子さんのフェイスブックに送られてきたメッセージ。送り主の男性は脅迫罪で逮捕されている

自演ではないのか云々。さらには、とも子さんのフェイスブックに「おまえが犯人だろ」などとメッセージを送る者まで現れた。この人物は事件から2ヶ月後の2019年11月から2ヶ月間、約10回脅迫文を送り続け、とも子さんから相談を受けていた警察が捜査。千葉県警は2020年8月、脅迫の疑いで静岡県函南《かんなみ》町の自称とび職の男性（当時31歳）を逮捕している。美咲ちゃんが神隠しのように消失してしまったがゆえにデマが暴走したものと思われるが、彼女はここまで苦しめられても、捜索のためのホームページやツイッターを開設、美咲ちゃんの情報提供を呼びかけている。

　2020年9月21日、失踪から1年が経った節目のこの日、山梨県警は機動隊員と大月署の計34人を動員、改めてキャンプ場内の沢が流れ込む道志川から相模原市緑区の道志ダムまでに至る約10キロを捜索した。また現場周辺で検問を実施し、キャンプ場と「道の駅どうし」の2ヶ所で利用客に情報提供を求めるチラシを配布。母とも子さんも「絶対に戻って来ると強い気持ちで捜し続ける。娘に似ている子がいないかなど、情報を寄せてほしい」と呼びかけた。この1年間で山梨県警に寄せられた情報は3千586件。解決につながる有力なものはまだ得られていない。

# 第3章 残された謎

# 135年間解読不能、宝探しで身を滅ぼした者も
# 宝の隠し場所を示した「ビール暗号」

「ビール暗号」とは1885年に発行された小冊子『ビール文書』によって世間に知られるようになった、今なお解き明かされることのない史上最大級の暗号ミステリーだ。

小冊子によれば、1822年1月、トーマス・ビールなる人物が米バージニア州リンチバーグのホテルで宿泊手続きを取り、ホテルのオーナー、ロバート・モリスに多くの金銀財宝を埋めた場所が記されたとされる3枚の暗号文を入れた金庫を預け、二度と姿を

唯一解読に成功した2枚目の暗号文

5, 73, 24, 807, 37, 52, 49, 17, 31, 62, 647, 22, 7, 15, 140, 47, 29, 107, 79, 84, 56,
9, 10, 26, 811, 5, 196, 308, 85, 52, 160, 136, 59, 211, 36, 9, 46, 316, 554, 122,
5, 95, 53, 58, 2, 42, 7, 35, 122, 53, 31, 82, 77, 250, 196, 56, 96, 118, 71, 140,
7, 28, 353, 37, 1005, 65, 147, 807, 24, 3, 8, 12, 47, 43, 59, 807, 45, 316, 101, 41,
154, 1005, 122, 138, 191, 16, 77, 49, 102, 57, 72, 34, 73, 85, 35, 371, 59, 196,
92, 191, 106, 273, 60, 394, 620, 270, 220, 106, 388, 287, 63, 3, 191, 122, 43,
4, 400, 106, 290, 314, 47, 48, 81, 96, 26, 115, 92, 158, 191, 110, 77, 85, 197, 46,
113, 140, 353, 48, 120, 106, 2, 607, 61, 420, 811, 29, 125, 14, 20, 37, 105, 28,
3, 16, 159, 7, 35, 19, 301, 125, 110, 486, 287, 98, 117, 511, 62, 51, 220, 37, 113,
0, 807, 138, 540, 8, 44, 287, 388, 117, 18, 79, 344, 34, 20, 59, 511, 548, 107,
3, 220, 7, 66, 154, 41, 20, 50, 6, 575, 122, 154, 248, 110, 61, 52, 33, 30, 5, 38, 8,
84, 57, 540, 217, 115, 71, 29, 84, 63, 43, 131, 29, 138, 47, 73, 239, 540, 52, 53,
118, 51, 44, 63, 196, 12, 239, 112, 3, 49, 79, 353, 105, 56, 371, 557, 211, 515,
5, 360, 133, 143, 101, 15, 284, 540, 252, 14, 205, 140, 344, 26, 811, 138, 115,
73, 34, 205, 316, 607, 63, 220, 7, 52, 150, 44, 52, 16, 40, 37, 158, 807, 37, 121,
95, 10, 15, 35, 12, 131, 62, 115, 102, 807, 49, 53, 135, 138, 30, 31, 62, 67, 41,
63, 10, 106, 807, 138, 8, 113, 20, 32, 33, 37, 353, 287, 140, 47, 85, 50, 37, 49,
64, 6, 7, 71, 33, 4, 43, 47, 63, 1, 27, 600, 208, 230, 15, 191, 246, 85, 94, 511, 2
0, 20, 39, 7, 33, 44, 22, 40, 7, 10, 3, 811, 106, 44, 486, 230, 353, 211, 200, 31,
38, 140, 297, 61, 603, 320, 302, 666, 287, 2, 44, 33, 32, 511, 548, 10, 6, 250,
7, 246, 53, 37, 52, 83, 47, 320, 38, 33, 807, 7, 44, 30, 31, 250, 10, 15, 35, 106,
0, 113, 31, 102, 406, 230, 540, 320, 29, 66, 33, 101, 807, 138, 301, 316, 353,
0, 220, 37, 52, 28, 540, 320, 33, 8, 48, 107, 50, 811, 7, 2, 113, 73, 16, 125, 11,
0, 67, 102, 807, 33, 59, 81, 158, 38, 43, 581, 138, 19, 85, 400, 38, 43, 77, 14, 27,
47, 138, 63, 140, 44, 35, 22, 177, 106, 250, 314, 217, 2, 10, 7, 1005, 4, 20, 25,
48, 7, 26, 46, 110, 230, 807, 191, 34, 112, 147, 44, 110, 121, 125, 96, 41, 51,
140, 56, 47, 152, 540, 63, 807, 28, 42, 250, 138, 582, 98, 643, 32, 107, 140,
2, 26, 85, 138, 540, 53, 20, 125, 371, 38, 36, 10, 52, 118, 136, 102, 420, 150,
2, 71, 14, 20, 7, 24, 18, 12, 807, 37, 67, 110, 62, 33, 21, 95, 220, 511, 102, 811,
83, 84, 305, 620, 15, 2, 108, 220, 106, 353, 105, 106, 60, 275, 72, 8, 50, 205,
5, 112, 125, 540, 65, 106, 807, 188, 96, 110, 16, 73, 33, 807, 150, 409, 400, 50,
4, 285, 96, 106, 316, 270, 205, 101, 811, 400, 8, 44, 37, 52, 40, 241, 34, 205,
16, 46, 47, 85, 24, 44, 15, 64, 73, 138, 807, 85, 78, 110, 33, 420, 505, 53, 37,
22, 31, 10, 110, 106, 101, 140, 15, 38, 3, 5, 44, 7, 98, 287, 135, 150, 96, 33, 84,
5, 807, 191, 96, 511, 118, 440, 370, 643, 466, 106, 41, 107, 603, 220, 275, 30,
0, 105, 49, 53, 287, 250, 208, 134, 7, 53, 12, 47, 85, 63, 138, 110, 21, 112, 140,
5, 486, 505, 14, 73, 84, 575, 1005, 150, 200, 16, 42, 5, 4, 25, 42, 8, 16, 811,
5, 160, 32, 205, 603, 807, 81, 96, 405, 41, 600, 136, 14, 20, 28, 26, 353, 302,
5, 8, 131, 160, 140, 84, 440, 42, 16, 811, 40, 67, 101, 102, 194, 138, 205, 51,
241, 540, 122, 8, 10, 63, 140, 47, 48, 140, 288.

見せることはなかったという。モリスはビールの指示どおり、10年間暗号文を保管した後、金庫を破壊。中には暗号文の他にモリス宛の手紙が入っており、そこには、米ニューメキシコ州サンタフェでバッファロー狩りをしていたビールと友人らが地面に埋もれた大量の金と銀（現在の貨幣価値で6千500万ドル相当。約70億円）を発見し、その隠し場所を暗号文に記した経緯が書かれていた。

以来、モリスは暗号解読に躍起になるが、1枚も解読することができない。そこで彼は84歳になった1862年、友人A（姓名不詳）に事情を打ち明け、解読を依頼。Aは暗号文に示されたそれぞれの数字が、アルファベットのいずれかの文字を表していると推測、何らかの文書や書籍を鍵とした「書籍暗号」なる暗号技術が使われているのではないかと考え、手当たり次第に書籍を使って解読を試みた結果、アメリカ独立宣言（1776年）が2枚目の暗号文の鍵になっていることを突き止め、内容の解読に成功した。その内容は以下のとおりだ。

1885年に発行された『ビール文書』の表紙

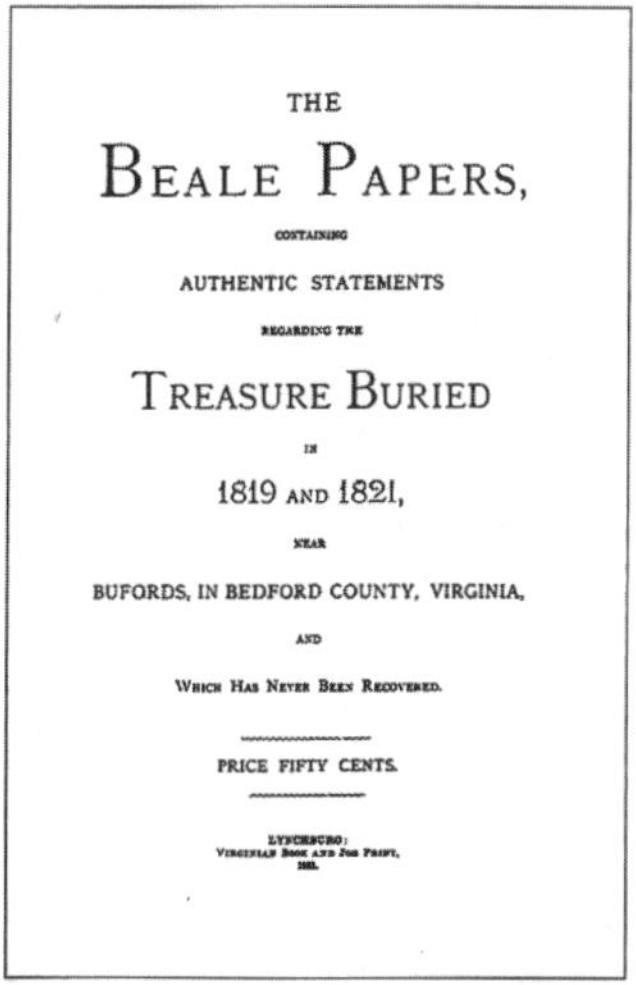
THE

BEALE PAPERS,

CONTAINING

AUTHENTIC STATEMENTS

REGARDING THE

TREASURE BURIED

IN

1819 AND 1821,

NEAR

BUFORDS, IN BEDFORD COUNTY, VIRGINIA,

AND

WHICH HAS NEVER BEEN RECOVERED.

PRICE FIFTY CENTS.

LYNCHBURG:

「ビュフォードの店から4マイルほど離

れたベッドフォード郡の採掘坑で、地面より6フィートほどの深さに以下のものを埋めた。所有すべき者の名を同封の文書3に示す。最初の埋蔵物は、1千14ポンドの金と3千812ポンドの銀で、埋蔵の日付は1819年11月である。第2の埋蔵物は、1821年の12月に埋蔵したもので1千907ポンドの金、1千288ポンドの銀、そして輸送の安全の為にセントルイスで銀と交換した宝石類1万3千ドル相当である。上記の金銀宝石類を、いくつかの鉄の容器に入れ、やはり鉄の蓋をした。採掘坑は粗い石垣のようになっているが、容器はしっかりとした石の上に置き、さらに石を積んで覆い隠すようにした。第1の書類には採掘坑の正確な位置を書いておいたので、容易に発見できるだろう」

Aは残る1枚目と3枚目の暗号文の解読、特に宝の隠し場所を示した1枚目に力を注いだが、成功しなかった。しかも暗号解読に没頭した結果、仕事が手に付かず経済的に困窮し、家族を苦しめる結果となった。このような状況を招いたことを悔やんだAは、最善の方法は全てを世間に公表することだと考え、小冊子『ビール文書』を発行。Aはその中で、自らの経験をもとに「主業の余暇として解読に挑戦すべきで、余暇がないなら手を出すべきではない」「夢かもしれないことのために、自分と家族を犠牲にしてはならない」との警告文を付記した。

小冊子の反響は大きく、発行後、多くの人々がリンチバーグに集結し宝探しを始める。が、現在に至るまで誰一人として宝を見つけた者はいない。1923年から1970年代末まで数十年にわたって探し続けた者、偽名で土地を購入したうえで発掘を試み失敗したプロのトレジャーハンター、そして2枚目の暗号文を解読したAのように身を滅ぼした者もいる。1980

年代前半には、ある人物が7万ドル（約770万円）を投じ、7年をかけてダイナマイトとブルドーザーで宝が隠されていそうな場所を探し回ったが見つからず破産。またアメリカ暗号協会の編集者は、ビール暗号の解読に熱中しすぎたため職を失ったそうだ。

いったい、ビール暗号に記されているという莫大な宝はどこにあるのか。

『ビール文書』が発行されて135年。この間、あらゆる努力が費やされたにもかかわらず何の成果もあがっていないことから、そもそもこの話は捏造なのではないかと見る説。一方で、歴史的な調査からこの話は真実だとする説、また話は真実だがすでに暗号は解読され宝は持ち去られたと考える説もある。真偽は定かではない。

アメリカの暗号解読のエキスパート、エリザベス・フリードマン（右）と夫のウィリアムもビール暗号の解読に挑んだが成功には至らず

## 船長を含む11人が消失した史上最大の海洋ミステリー

# メアリー・セレスト号事件

　1872年11月5日、アメリカ船籍「メアリー・セレスト号」が原料用アルコールを積んで、ニューヨークからイタリアのジェノバに向けて出港した。乗船していたのはベンジャミン・ブリッグス船長と妻のサラ、娘のソフィア、乗組員8人の総勢11人である。

　1ヶ月後の12月5日、そのメアリー・セレスト号が、ポルトガルとアゾレス諸島の間の大西洋を漂流しているのがカナダ船籍のデイ・グラツィア号によって発見された。航行している様子はなく海上を漂っている状態だったため、事故の可能性を疑ったグラツィア号の乗組員はメアリー・セレスト号に船体を横付けし、中に乗り込む。果たして、船には誰1人いなかった。

　船の倉庫には多くの食料や飲み水が残っており、積荷のアルコールの樽も置かれたまま。目立った損傷もなく、十分に航行可能な状態であるにもかかわらず、なぜ船が放棄され、乗組員全員が姿を消したのか。現在、最も有力で信憑性があるのはアルコールの樽を原因とするものだ。ブリッグス船長が何らかの理由で、船倉を開くよう命じたところ、アルコールの匂いと靄が激しく噴き出した。このままでは船が爆発すると考えた船長は全員に救命ボートに移るよう指示。が、慌てるあまり丈夫な引き縄で船と救命ボートを適切に結びつけることができず、強い風を受けた救命ボートは船からどんどん離れ、やがて乗組員たちは溺れ死んだか、海上を漂流の末、飢えや渇きが原因で死亡したというものだ。

その他、乗組員間の暴動で船長が殺害され家族は救命ボートで逃げた、暴風雨（水上竜巻）に遭遇した、海賊の襲撃に遭ったなど、様々な憶測がなされているが、いずれも説得力に乏しく、メアリー・セレスト号に何が起きたのかはわかっていない。ちなみに、同号はグラツィア号に引っ張られイベリア半島のジブラルタルの港に戻された後、修復され複数の所有者のもとを転々とし、主に西インド諸島とインド洋の航路を行き来した末、1885年に廃船となった。

理解不能の事態に遭遇したメアリー・セレスト号

船長のベンジャミン・ブリッグス。人格者として知られていた

# オーストリア皇太子情死事件

## 悲恋の果ての心中か、自殺の道連れか

1889年1月30日、ヨーロッパで一大勢力を誇っていたオーストリア＝ハンガリー帝国の皇太子ルドルフ（当時30歳）が、17歳の男爵令嬢マリー・ベツェラと心中を遂げた。事件は皇室の一大スキャンダルとして広く喧伝され、後に多くの小説や戯曲、映画の題材となるが、その結末は悲恋の果ての心中か、自殺の道連れか、未だ謎に包まれている。

ルドルフは、オーストリア＝ハンガリー帝国を統治していたハプスブルク家の君主、フランツ・ヨーゼフ1世の長男、つまり世継ぎとして、1858年にオーストリアで生を享けた。自由主義思想の母親は息子を奔放に育て、ルドルフは成人後も母の思想を受け継いでいく。これに憤《いきどお》ったのが父親のヨーゼフ1世だ。ヨーゼフは妻とは真逆の絶対的な保守主義派。ルドルフはその考えを時代遅れと反発し、父親の絶対君主ぶりを激しく非難した。それでも王子としての立場は避けられず、1881年、ベルギー王の次女ステファニーと政略結婚したものの、2年後に娘エリーザベトが誕生する頃から性格の不一致により夫婦仲は冷え切っていく。ルドルフは酒や女遊びに溺れる。貴族専門の娼婦や女優たちと体の関係を持ち、性病にもかかった（妻にも感染させている）。結婚生活の憂さを晴らした結果と思いがちだが、そうした自堕落な暮らしは独身時代からだった。

父親から疎《うと》んじられたルドルフに皇太子としての公務はなく、貴族批判の雑誌に匿名で投稿するなどして日々を送る。世継ぎを期待していた周囲が失望するなか、彼は従姉妹の紹介でマリーに出会う。妻とは容姿も性格も異なる彼女にルドルフは惚れこみ、教皇に妻との離婚を望む文書を送るまでに至る。が、当時、王国で皇族の離婚は認められておらず、父子の関係はさらに悪化していく。

1889年1月28日、ルドルフはマリーを連れて馬車でウィーンの狩猟館「マイヤーリンク」に向かう。そこで彼らがどんな時間を過ごしたのかは定かではない。が、2日後の30日午前6時10分、館の執事は2人がいた部屋から2発の銃声を聞くことになる。執事は施錠されたドアを斧で破って中に入り、部屋のベッドで血まみれになったルドルフとマリーの姿を発見。傍ら

死の2年前、28歳時のルドルフ皇太子（上）と、彼がぞっこんになった少女マリー

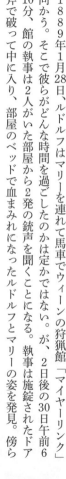

に拳銃が落ちていた。検視の結果、マリーはルドルフより数時間前に死んでいたということが明らかになった。実らぬ恋の果て、ルドルフがマリーを銃殺した後、自ら拳銃自殺を図った心中と考えるのが自然だろう。

ところが、後にルドルフの狩猟友達が語ったところによれば、事件を起こした時点で2人の仲は冷め切っていたという。また、事件の直前、彼らの言い争う声が部屋から漏れていたとの証言もある。これが事実なら、事は心中ではなく、諍《いさか》いの結果、ルドルフが発作的にマリーを殺し、数時間後に自身も後を追ったとも推測できる。

さらに、事件から94年後の1983年、オーストリア＝ハンガリー帝国最後の皇帝カール1世の妻ツィタ皇后が、事件が情死ではなく暗殺だったとの爆弾告白を行った。曰く、事件の直後、緘口令《かんこうれい》が敷かれたのは、暗殺と知りながらも事件に政府の要人が関係していたからというのだ。また、事件の2日後に室内の片付けを命じられた人間の目撃情報によれば、家具がひっくり返されるなど激しい争いの跡が見られ、壁にも弾痕・血痕が著しくあり、銃声は言われるように2発ではなかったそうだ。

その真偽はともかく、事件最大の謎は、ルドルフが死を共に

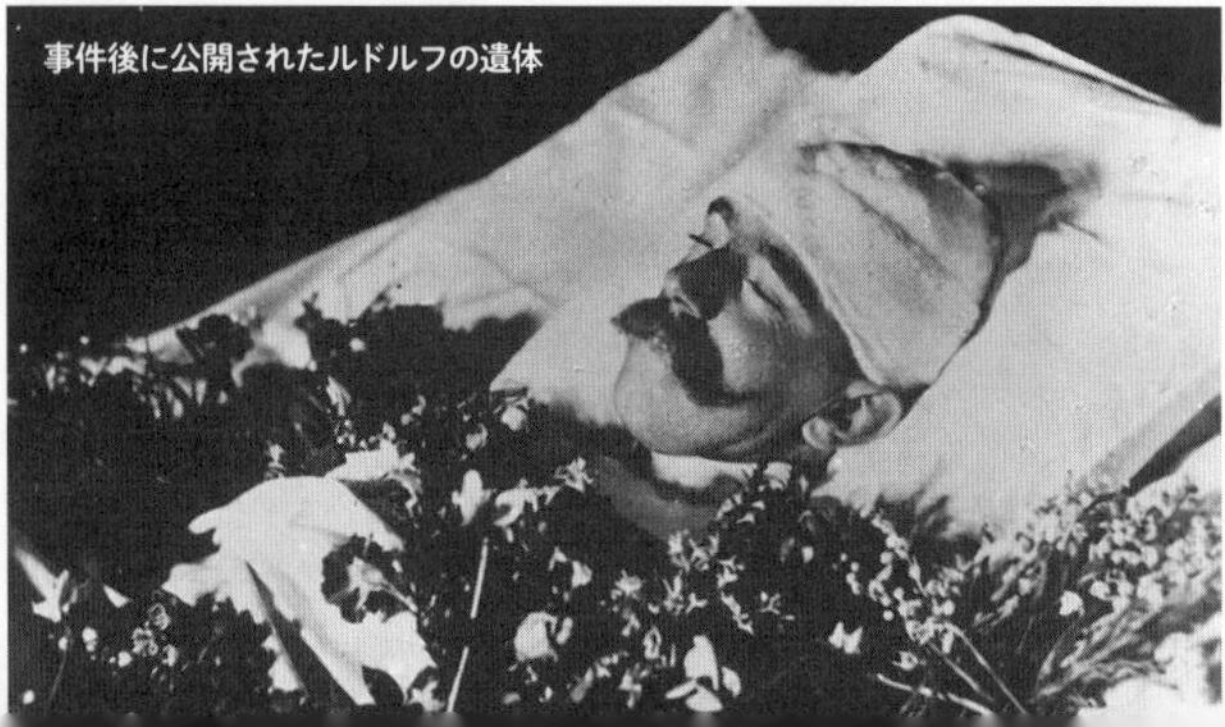

事件後に公開されたルドルフの遺体

する相手として望んだのは、実はマリーではなく別の女性だったのではないかという疑いだ。前記したとおり、ルドルフは結婚前から高級娼館に出入りし、ミッツィ・カスパルという女性にぞっこんだった。彼女は朗らかな性格で、ベッドテクニックもあり、ルドルフは結婚後もミッツィとの関係を続ける。一方、政治的思想の違いから皇室の中で孤立していく過程で徐々に自殺を考えるようになり、マリーと知り合った時期に近い1888年夏、ミッツィに拳銃で撃ち合って死のうと頼み込んでいる。が、彼女はその提案を一笑に付したばかりか、ルドルフの言動を警察に通報。以降、ルドルフは警察の監視下に置かれるようになる。

史実によれば、事件の2日前にもルドルフはミッツィを訪ね、夜中の3時まで酒を酌み交わし、別れ際に彼女の額に十字を切った後、マイヤーリンクに向かったそうだ。こうしたことから、ルドルフは最愛のミッツィに心中を断られたため、仕方なくマリーを死の道連れにしたと見る向きも少なくない。

ルドルフと長年関係のあった女性ミッツィ・カスパル。ルドルフより6歳年下で、1907年1月、42歳でこの世を去った

## ニレの木の隙間から発見された身元不明の白骨遺体

# 誰がセイヨウハルニレにベラを入れたのか？

1943年4月18日、イギリスのウスターシャー州ハグレーウッドに少年グループ4人が鳥の巣探しに来ていた。と、絶好のニレの大木「セイヨウハルニレ」を発見。運動神経に自信のある1人が木によじ登ったところ樹木の隙間に白骨化した頭蓋骨があるのを見つけた。最初、彼は動物のものと考えていたが、手に取ってみると人間の毛髪や歯が付いている。間違いなく人の頭蓋骨だ。彼は頭蓋骨を元の場所に戻し、他の3人にこのことを誰にも言わないよう命じて帰宅したが、まもなく重圧に耐えきれなくなったグループで最も年下の少年が両親に詳細を話してしまう。

報告を受け捜査に乗り出した警察は、ニレの木の幹を確認し、その中からほぼ全てのパーツが揃った白骨遺体を発見。他にも靴や金の結婚指輪、

1943年4月に発見された身元不明の頭蓋骨

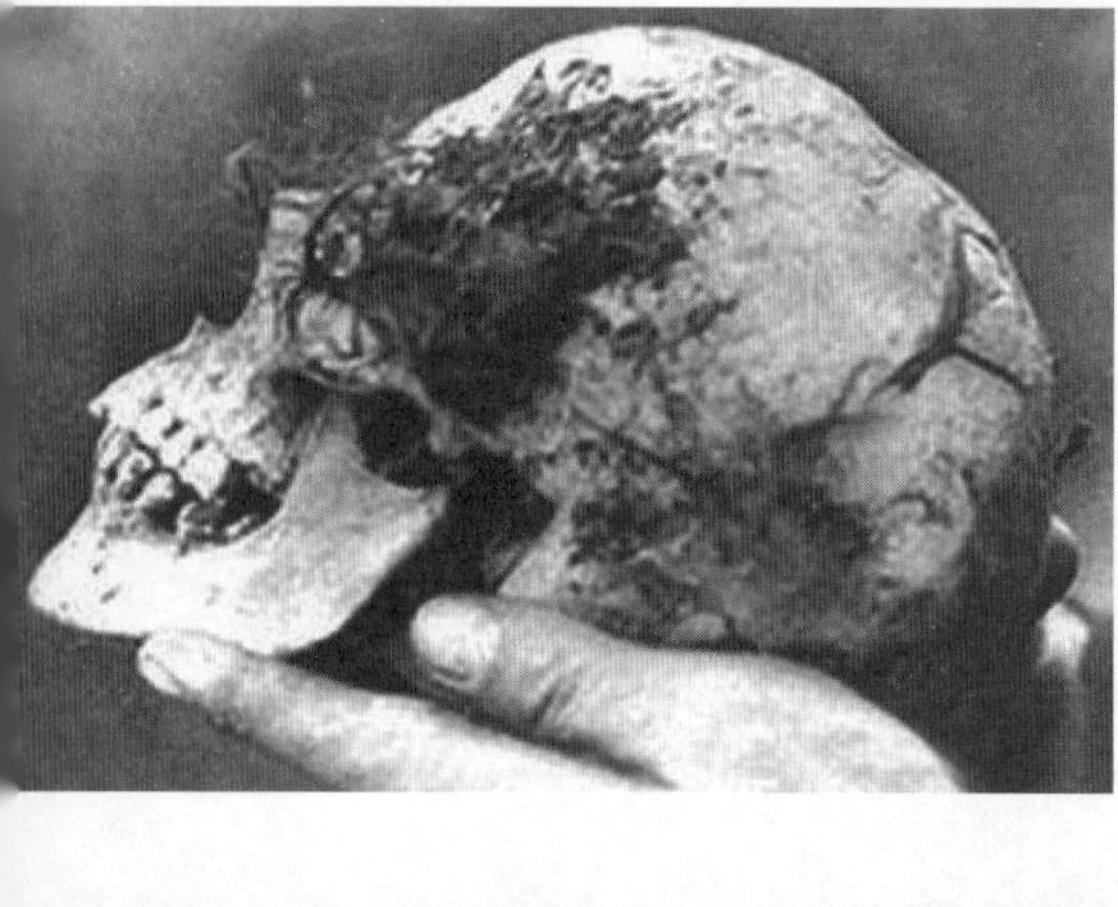

衣服の断片、さらには木から少し離れたところで遺体の手が見つかった。法科学研究所の鑑定の結果、遺体は女性で、早くても18ヶ月前、つまり１９４１年10月以前に殺されたもので、死因は窒息死の可能性大と判明。また、被害者は死後硬直が始まる前の、まだ体温が残る状態で木の隙間に入れられたことがわかった。

しかし、遺体の身元は判明しなかった。行方不明者リストを照合しても該当者なし。歯の治療痕が特徴的だったことから全国の歯科医にも照会をかけたが、ヒットする人物はいない。捜査が暗礁に乗り上げかけた１９４４年、バーミンガムのアッパー・ディーン・ストリートの壁に「Who put Bella in the Wych Elm?（誰がセイヨウハルニレにベラを入れたのか?）」という不可解な落書きが書かれているのが見つかった。以降、同様の落書きが頻出、１９７０年代以降も遺体の発見現場に近いウィッチベリー・オベリスクで散発的に落書きが現れ、事件は伝説化していく。

骨が挟まっていたニレの木

殺された女性は誰か？　落書きによって有名になったこの事件には多くの仮説が立てられている。

一つは、バーミンガムで失踪した売春婦ではないかとする説。彼女は１９４４年、別の売春婦が3年前から行方がわからないと報告した女性で、名前はベラ。まさに落書きに記された名前と合致することから、落書きを書いた人物は被害者または殺人者の身元を知っていたのではないかと言われている。

もう一つは、ウーナ・モソップという名のイギリス人女性の元夫が事件に関係しているとする説だ。1953年、彼女が警察を訪れ語ったところによれば、ウーナの元夫のジャックは友人のオランダ人男性とパブで酒を飲み、1人の女性と知り合ったそうだ。ジャックと友人は泥酔した彼女を車に乗せ、ハグレーウッドにあるニレの木の中に置き去りにする。朝になって女性が目覚めたときに驚かせる魂胆だったそうだ。が、思惑は外れ彼女は死亡。そのことを知ったジャックは、以来、木の中から女性がじろじろと自分を見つめてくる夢を繰り返し見るようになり、やがて精神病院に入院。そのまま死亡したのだという。ウーナはこのことを本人から直接聞いたと警察に報告したが、ジャックが亡くなったのは遺体の発見前。また、遺体発見から10年が経過して初めて警察に連絡したことからも、彼女の証言は信憑性に欠けると見られている。

ナチス・ドイツのスパイが関係しているという説もある。1941年、ドイツの諜報機関から送られたヨセフ・ヤコブスという名の男性がイングランドのケンブリッジシャーへパラシュートで降下した。着地の際に足首を骨折し、すぐに逮捕されたヤコブスは女性の写真を所有していた。女性はヤコブスの愛人で、キャバレーの歌手や女優の仕事をしていたクララ・バウエ

遺体発見現場に近いウィッチベリー・オベリスクに残された落書き

WHO PUT
BELLA
IN THE
WITCH ELM

ルレというドイツ人女性。ヤコブスによれば、バウエルルレはスパイの訓練を受けており、自分の後にイングランドへ派遣されたかもしれないという。このバウエルルレが件の遺体の身元であるという説があるのだが、彼女が渡英した証拠はなく、バウエルルレの身長が約180センチだった（遺体の女性は約150センチ）とする複数の証言から、この仮説は誤りとの見方が強い。ちなみに、ヤコブスは1941年8月、ロンドンで処刑。バウエルルレは1942年12月にベルリンで死亡したことが確認されている。

被害者と噂される女性の1人、クララベラ・ドロンカーズ。名前に「ベラ」の文字が

他にも、離れたところで手が発見された状況が「ハンド・オブ・グローリー」という儀式と一致していることから被害者はロマの魔術的な儀式で殺害されたとする説。また、被害者はクララベラ・ドロンカーズというオランダ人女性で、イギリス人の役人、オランダ人、音楽堂のアーティストからなるドイツのスパイ集団が、余計なことを知りすぎた彼女を殺害したとする説などもあるが、いずれも客観的証拠に乏しく、遺体女性の身元は今現在も不明のままだ。

## メアリー・ジェーン・バーカー事件

### 空き家のクローゼットから遺体で発見された4歳女児

1957年2月25日午前10時30分、米ニュージャージー州ベルマールで当時4歳の少女メアリー・ジェーン・バーカーが、遊び友達の飼い犬と姿を消した。家族からの通報を受けた警察はメアリーが誘拐されたものと推測。翌日、近くの小川の岸で足跡を発見する。足跡は成人男性と子供、犬のもので、その中の一つがメアリーの靴のサイズと一致した。

警察とボランティア総勢1千人が彼女の捜索に乗り出すとともに、メアリーの両親はテレビに出演。娘を誘拐した可能性のある何者かに対し、最寄りの教会でメアリーを解放するよう訴えた。まもなく、43歳の男性が捜査線上に浮かぶ。男性は児童に対する性的虐待の前科があり、メアリーの家の近くに住んでいた。が、取り調べの結果、彼は事件とは無関係と判明する。

失踪から6日後、メアリーの遊び友達で犬の飼い主である6歳女児と、その母親が自宅隣の空き家に入り寝室のクローゼットを開けたところ、犬が飛び出してきて、中で座ったまま死亡しているメアリーが発見された。検視により、メアリーは失踪当日の朝、チョコレートとミルクを口にして以降、何も食べておらず、体に暴行や性的虐待の形跡がないことがわかった。警察は、メアリーが誤ってクローゼットの中に入り、密閉空間から出られない恐怖と飢えで、失踪から3日後の2月28日に死亡したものと結論づける。クローゼットの扉は鍵がかかっていないため中には簡単に入れたが、内部からはつまみねじで開ける仕組みになっており、幼女に脱

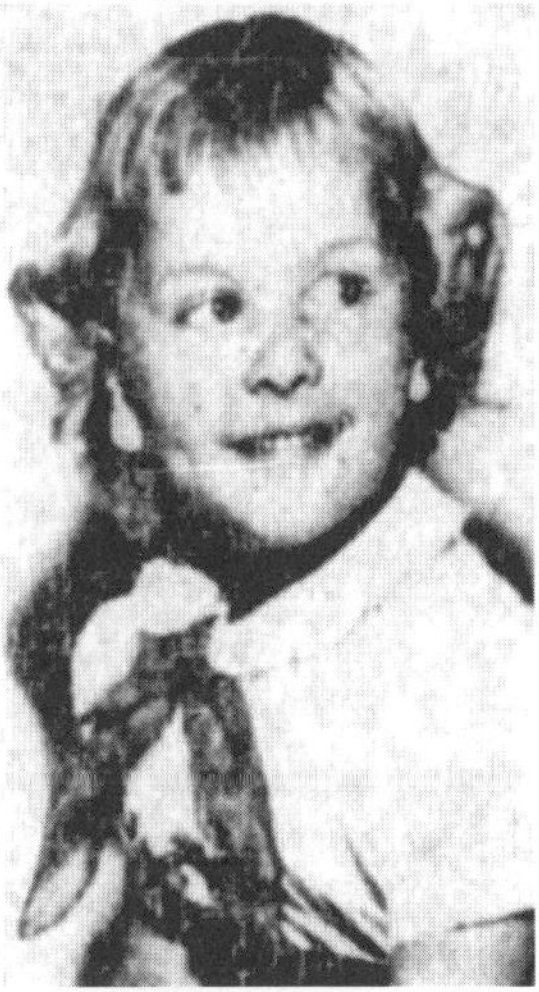
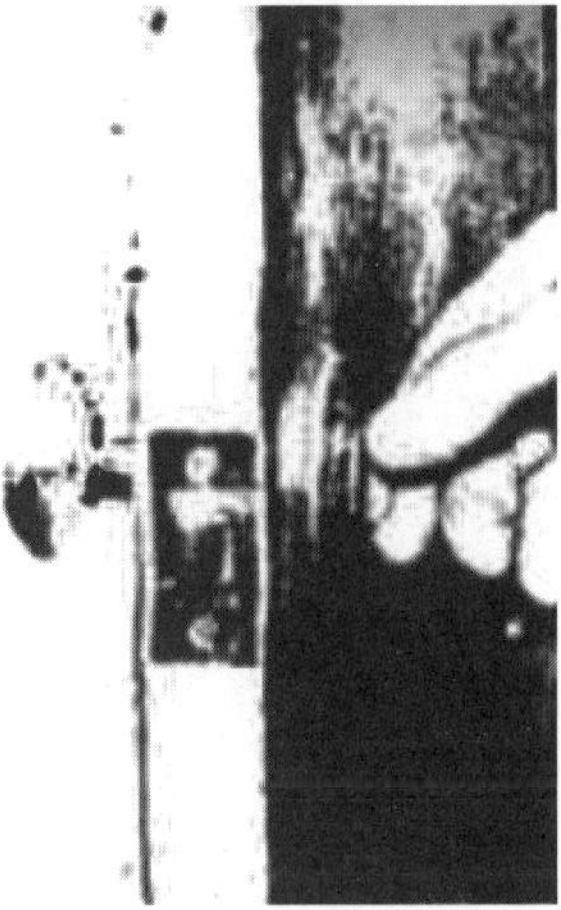

メアリー本人と、彼女が遺体で見つかったクローゼットのドアロック

出は不可能だったと考えられる。以降、市長命令で、全てのクローゼットの扉には内と外の両側から簡単に開けられるように特別な取っ手を備え付けることが義務づけられた。

それにしても不思議なのは、なぜ6日間もメアリーが発見されなかったか、だ。件の空き家には彼女が死亡したと推定される2月28日までに捜索隊が三度立ち入り、全ての部屋を徹底的に調べていた。メアリーが恐怖で声を出せず、犬も鳴き声を発しなかったこともあるのかもしれないが、捜索隊の誰1人、寝室のクローゼットに全く注目しなかったのは疑問を持たざるをえない。

## 田園の中で発見した正体不明の物体を持ち帰り実験・確認

# 介良小型UFO捕獲事件

1972年8月25日夕刻、高知県高知市東部の介良《けら》地区で中学生数人が、地上1メートルほどの位置に静止していたハンドボール大で色とりどりに発光する物体を発見した。気になった彼らが翌日、同じ田園に行くと、前日と同じ発光する物体の下に灰皿のような奇妙な物体もあった。恐怖を感じつつも好奇心が勝り、少年たちは物体を布で覆って自宅に持ち帰る。物体は鈍い銀色で山高帽のような形をしており、直径約18センチ、高さ約7センチ、重さ約1・5キロ。底部にはレコードの面のような輪模様。中央には穴があいており、中を覗くとラジオの部品のようなものがぎっしりと詰まっていたという。

少年たちは、物体を鈍器で叩いたり、のこぎりで引いたり、火であぶったりした。が、ビクともしない。そこで、底辺の穴からヤカンで水を注いだところ、物体が大きな音を立て、綿のようなものを吹き出したという。また、穴に針金を通して物体を天井から逆さ吊りすると、底の裏ブタが開いて中身の機械が少し見えたもののいつのまにか閉じてしまい、力づくでこじ開

証言をもとに作られた未確認物体の模型
（雑誌『UFOと宇宙』より）

事件に遭遇した中学生たち

けようとしても無理だったそうだ。

その後、少年たちは物体に座布団を何枚も重ねて被せ、見張る。が、しばらくして座布団を持ち上げてみると、不思議なことに物体は忽然と消えてなくなってしまっていた。しかし、すぐに道端に落ちている物体を発見し再び捕獲。こうして、少年たちが捕獲しては逃がすということを何度か繰り返すうち、物体は最終的に彼らの前から姿を消してしまったそうだ。

一連の騒動はメディアにも大きく取り上げられ、ＵＦＯ捕獲事件として日本中に知れわたった。が、物体の証拠は彼らの証言のみ。この事件に関わる少年のうち一人が手品が得意だったという情報から、いたずらや虚言という噂もある。また、当時は世界的なＵＦＯブームで、テレビや雑誌などで連日ＵＦＯ関連の特集が組まれていたため、よりセンセーショナルな事件として報道するために演出が加えられたのではないかという見方もある。ちなみに、この３年後の１９７５年２月、山梨県甲府市で小学生２人がＵＦＯから追跡を受け、宇宙人に攻撃されたとする「甲府事件」が起きている。

夫のロバート・ワグナーに殺された!?
# 女優ナタリー・ウッド不審死事件

映画「ウエスト・サイド物語」や「理由なき反抗」で知られるハリウッド女優のナタリー・ウッド。1981年11月、当時43歳のウッドは、カリフォルニア州南部のサンタカタリナ島の沿岸に停泊したプライベートヨットで過ごしていた。新作映画「ブレインストーム」の撮影中だった。しかし、同月29日夜、彼女の姿は忽然と消え、翌朝約1・5キロ先の海上に溺死体となって浮いているのを発見された。2週間の捜査後、警察はウッドの死を事故死と断定する。が、以降、事あるごとに「事故ではない。ウッドは殺された」という噂が出ては消えていた。

ジェームズ・ディーン（右）主演「理由なき反抗」のヒロイン役で一躍有名に

それから30年が経過した2011年11月、衝撃的なニュースが流れる。ウッドが亡くなる前夜、彼女と、夫で俳優のロバート・ワグナーが激しく口論していたというのだ。CNNの取材に答え事を明らかにしたのは、ウッド所有のヨットの船長だったデニス・デヴァーン。彼の証

謎の死を遂げたナタリー・ウッド。右は事件発生時に乗っていたプライベートヨット

言によれば、その夜、ヨットにはウッド、ワグナーの他に映画で共演中だった俳優のクリストファー・ウォーケンが同乗していたのだが、ウッドとウォーケンが親しく話しているのを見てワグナーが嫉妬。夫妻は互いを罵り合ったという。コーヒーテーブルにワインボトルを打ち付け激しく怒るワグナーの態度にウォーケンは自室に戻り、仲裁に入ろうとした船長には「出ていけ！」と命令。しかし、その後、いったん静かになったので丸く収まったのかと、念のため船長が夫婦の部屋へ確認に行くと、「ナタリーがいなくなった。船内を捜してくれないか」とワグナーが慌てた様子で現れ、まもなく、ヨットに備え付けのボートがなくなっていると言ったそうだ。船長はサーチライトを点灯するべきだと提案したが、ワグナーは拒否。さらに、救援を求めるまでに少なくとも2時間待ち、その間にワグナーとウォーケンの間で、何が起きたかについて警察に嘘をつくことで合意したのだという。

ナタリー・ウッド（1938年生）は子供の頃から演技の仕事を始め、8歳で出演したクリスマス映画「三十四丁目の奇跡」での演技が称賛される。1955年、ジェームズ・ディー

ウッド（左）と、疑惑の夫ロバート・ワグナー。写真は1980年当時

ン主演の「理由なき反抗」で純情な少女ジュディを演じアカデミー助演女優賞にノミネート。１９６１年にはミュージカル映画の傑作「ウエスト・サイド物語」で歌唱力を披露し、同年公開の主演作「草原の輝き」ではアカデミー賞主演女優賞にノミネートされ、ハリウッドのトップスターに上り詰める。

一方、ロバート・ワグナー（１９３０年生）も１９５０年代から映画界で活躍し、「ピンク・パンサー」（１９６３）で日本でも名を知られるようになる。ウッドとは彼女が子役を始めた頃からの馴染みで、ウッドがワグナーに恋心を抱く形で交際に発展。１９５７年、ウッドが18歳のとき夫婦となる。が、結婚生活は5年で破綻。その後、2人とも別のパートナーと結婚したものの、１９７２年、ウッドとワグナーは再婚を果たし、愛娘コートニーを授かった。それから7年後に訪れたウッドの不審死。この間、夫婦関係に何か異変が生じていたのだろうか。

あの夜の出来事をワグナーから固く口止めされていたという船長が、事件から30年を経てなぜ告白するに至ったかはわからない。が、この爆弾証言を受け、ロサンゼルス郡保安局は事故の再捜査を開始。2012年には、検視報告書が訂正され、ウッドの死因から「事故」の文字が消えた。事件当時の検視ではウッドの血中アルコール濃度の高さから、死ぬ直前まで長時間飲酒していたことを確認。薬物テストでは鎮痛剤と乗り物酔いの薬が検出されていた。それを踏まえて、検視報告書には「ウッドが足を滑らせてヨットから転落したと推測される」と記載されていたのだが、2012年に公表された10ページに及ぶ訂正報告書では、遺体に複数の打撲や傷跡の痕跡があったことを明らかにし「ウッドが海に落ちた方法は解明されておらず、彼女の遺体の青あざが失踪前につけられた可能性も捨てきれない」と記した。

ワグナーはこれまでウッドの死と自身の関与を否定、2009年発刊の回想録でもそう述べてきた。しかし、2011年から始まった再捜査で警察当局はワグナーを重要参考人として、彼に事情聴取を求めていることを公表。対し、ワグナーは頑なに捜査協力を拒否し、疑惑をより強める結果となっている。

ちなみに、ワグナーは妻ウッドの死から9年後の1990年、女優のジル・セントージョンと結婚（4度目）。2021年10月現在、91歳で存命である。

遺作となった映画「ブレインストーム」（1983）。主演のクリストファー・ウォーケン（左）は再捜査が始まってすぐに弁護士を立て警察の事情聴取に答え、嫌疑を晴らしているという

## シカゴのテレビ局を襲った伝説の電波ジャック

# マックス・ヘッドルーム事件

１９８７年11月22日、米シカゴ一帯で不気味な電波ジャック事件が起こった。当日21時14分、シカゴのテレビ局・ＷＧＮ－ＴＶ（チャンネル９）の「９時のニュース」で、スポーツキャスターが地元アメリカンフットボールチーム、シカゴ・ベアーズがデトロイト・ライオンズに勝利した試合のハイライトを生放送で解説していたとき、突然、画面が暗転した。そのまま15秒。画面に謎の男が現れた。サングラスに不気味な笑み、ラバーマスク、その姿はイギリスのテレビ局・チャンネル４の音楽番組のバーチャル司会者として有名なマックス・ヘッドルームそっくり。男は半回転する白黒ストライプを背景に、跳ねるように肩を揺らし一言も言葉を発しなかった。

局の技術者たちがすぐに放送の周波数を変えたことで電波ジャックは約15秒で途切れ、画面は通常の番組に戻る。一方、番組スタッフたちは内部からの犯行を疑い、妨害が始まった2分後には建物中を探しまわっていたが、それらしい侵入者を見つけることはできなかった。割り込んできた映像は、全く別の場所で、前もって録画されたもののようだった。

犯人がキャラクターを模した本物のマックス・ヘッドルーム

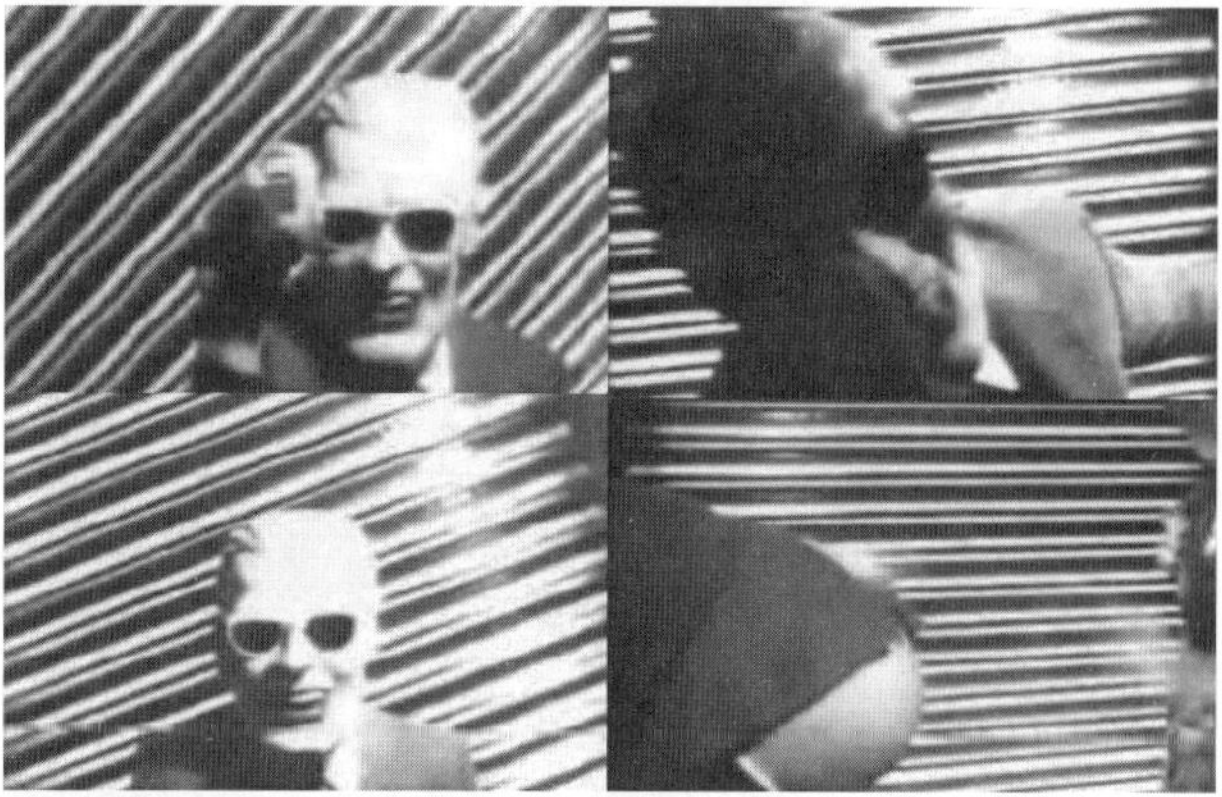
実際に流された妨害映像。まさにやりたい放題

それから約2時間半後の23時45分、同じシカゴのテレビ局・WTTW（チャンネル11）が電波ジャックに遭う。イギリスBBCの人気SFドラマ「ドクター・フー」の放送中、またも例のマスク男が現れ、今度は暴言を乱発。さらにメイド服を着た女性が登場し、「このビッチが！」と叫びながら蝿叩きで男の尻にスパンキングを行い、男が大声で悶絶する姿が流された。2回目の妨害は90秒間にわたって続いた。

衝撃的な事件のニュースは瞬く間にアメリカ中に広まり、米連邦通信委員会が調査を開始。映像の背景に映り込んでいたのが倉庫のシャッターで、それにそっくりな倉庫のある地区を特定したものの、犯人逮捕には至らなかった。事件は2021年10月現在、未解決である。

# 福島女性教員宅便槽内怪死事件

## 警察は「覗き目的で侵入し寒さと窒息で死亡」と発表

その不可解な事件は1989年2月28日、福島県田村郡都路《みやこじ》村古道《ふるみち》（現・田村市都路町古道）にある古道小学校（現・都路小学校）の校庭に隣接する平屋の教員住宅で起こった。当日18時頃、その住宅に住んでいた女性教員Hさん（当時23歳）が用を足そうとトイレに行き、何気なく汲み取り式の便器の中を覗き、人の頭があるのを発見した。驚いた彼女が外に出て汲み取り口に足を運んだところ、なぜか蓋は開いており汲み取り口から人の足が見える。ただならぬ事態にHさんは同僚に連絡、警察へ通報した。

便槽内で死亡していたのは福島第二原発の作業員で、主任を務めていた男性Sさん（同25歳）。発見時、遺体は上半身裸だった。都路村の当夜の気温は4・9度。にもかかわらず、彼は着ていた上着を胸に抱え、膝を折り、顔を左に傾けた状態で死後硬直していた。が、最大の謎はSさんがどうやって便槽に入ったか、である。便槽内への入り口とされる建物外の汲み取り口の直径は36センチしかなく、普通に考えて成人男性が入ることは不可能。捜査当局も便槽内から遺体を取り出せず、重機を用いて便槽を破壊するしかなかった。

その後、警察は状況からして、覗き目的でSさんが女性宅の便槽内に侵入、寒さと窒息で発覚2日前の2月26日時点で死亡したと発表した。が、Sさんは地域でも正義感の強い男性として評判で、覗きなどという卑劣な行為をするような人物ではなかった。また、Sさんと女性教員は顔見知りで、いたずら電話に悩まされていた彼女が彼氏以外にSさんにも相談。Sさんは電話の犯人をほぼ突き止めていたという。さらに、Sさんは遺体発見の4日前から行方がわからなくなっており家族が捜していた。加えて、女性教員は「大喪の礼」（昭和天皇崩御に伴う儀式）が執り行われていた2月24日から27日まで休暇を取っており、実家に帰省していた。このことに関してもSさんが知っていた可能性が高く、そんな状況で覗き見はまず考えられなかった。

こうした不可解な点から多くの地元住民は警察に再捜査を嘆願する。が、当局は「事件性はなく、再捜査の必要なし」の一点張り。30年以上経った現在も謎は解き明かされていない。

発見時の状態（画像は「kknews.cc」より）

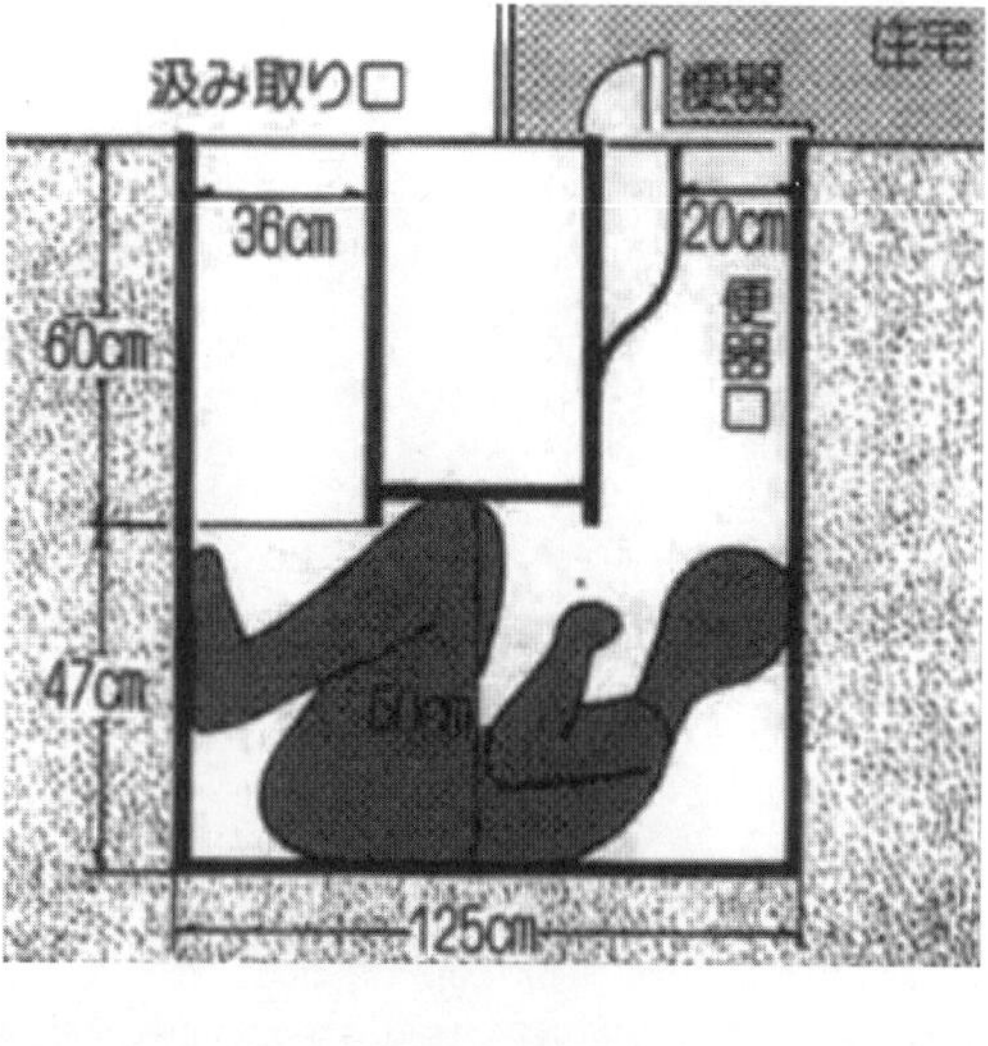

# 殺人被害者のズボンのポケットに意味不明の文章が
# リッキー・マコーミックの暗号メモ

1999年6月30日、米ミズーリ州ウェストアルトン近くのトウモロコシ畑で、幹線道路を車で運転中の女性が遺体を発見した。警察の捜査で、遺体の身元は5日前から行方不明となっていたリッキー・マコーミック（当時41歳）という名の男性と判明。指紋を照合したところ、彼が過去に強姦罪で3年間の服役経験を持っていたこともわかった。

当初、警察はマコーミックが行き倒れたものと考えていた。というのも、彼が当時失業中で福祉給付金を受け取っており、かつ心臓と肺に慢性的な疾患を抱えていたからだ。が、車を運転しないマコーミックが自宅から約32キロも離れ、かつ公共交通機関のない場所で遺体として発見されたのは、いかにも不自然。死因を未確定とした検視視官に対し、警察はその後、彼が別の場所で殺害されトウモロコシ畑まで運ばれたものと判断、捜査を開始する。しかし、犯行を裏づける物的証拠は全く得られなかった。

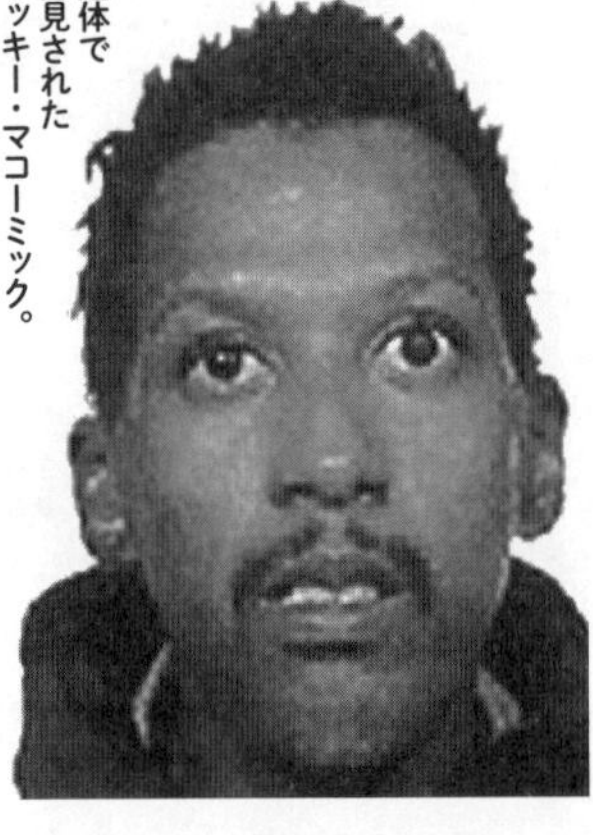

遺体で発見されたリッキー・マコーミック。未婚ながら4人の子持ちだった

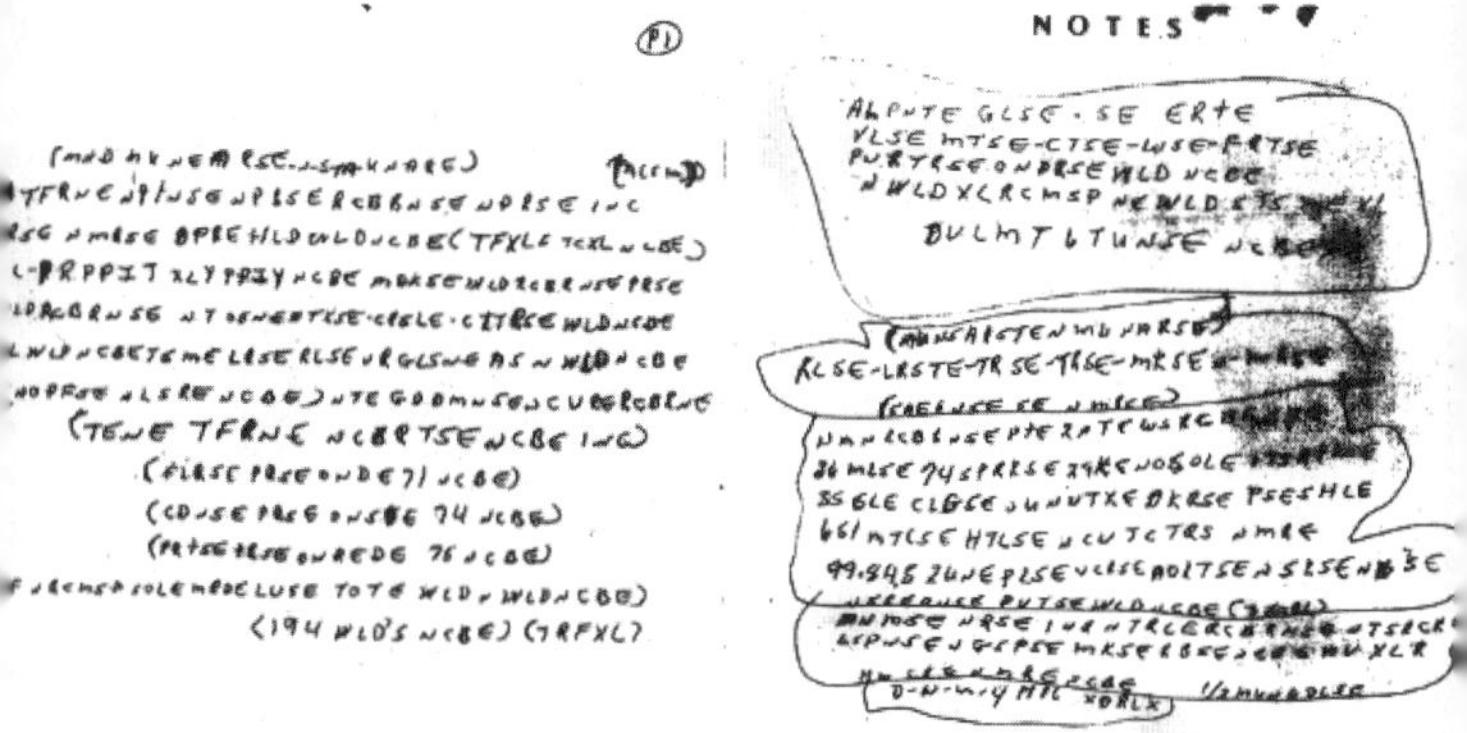


ズボンのポケットから見つかった暗号らしきメモ。
警察の捜査でマコーミックが最後にメモを記したのは遺体発見の３日前と判明している

ただ、手がかりとなるものが一つだけあった。遺体発見時、彼のズボンのポケットから見つかった2枚のメモだ。メモは括弧で区切られた文字と数字がごちゃ混ぜの意味不明な文章で構成されており、暗号文と思われた。これが事件を繙《ひもと》く鍵になると推測したＦＢＩが暗号解読に挑む。通常、暗号はその暗号と比較・対照可能な文章を用いて解析される。ＦＢＩの暗号解読班もその方式に倣《なら》い、マコーミックが使ったであろうサンプルを探したが全く見つからない。彼の家族によれば、マコーミックは少年の頃から暗号作りに凝っていたが、自分の名前以外、読み書きはできなかったという。もちろん、家族の誰も彼が残したメモを解読できる者はいなかった。

困り果てたＦＢＩは事件から13年後の２０１２年、メモの存在を世間に公開。一般から広く解読を求める。が、２０２０年9月現在、有力な情報は皆無。メモが事件に関連しているかもわかっていない。

# シャーロック・ホームズ研究家変死事件

## 精神を病んだ末の自殺か、行動を疎んだ者の他殺か

2004年3月27日、かの有名な探偵シャーロック・ホームズと、その作者アーサー・コナン・ドイルの世界有数の研究家リチャード・ランセリン・グリーン（当時50歳）が、英ロンドンの自宅アパートのベッドで、うつ伏せになって死んでいる状態で発見された。捜査では、首に巻いた靴ひもを木のスプーンでねじりあげ縊死したことが明らかになり、当初は殺人と断定された。しかし…。

グリーンは1953年、イギリス北西部のチェシャー州ベビントンで生まれた。父親はロビン・フッド、ホメロス神話の改作で知られる作家、母親は裁判官で演劇教師の顔も持っていた。そんな両親の影響を受け彼は幼少期から文学に親しみ、特にドイルが生んだ探偵シャーロック・ホームズ

遺体で見つかったシャーロック・ホームズ研究の第一人者、リチャード・ランセリン・グリーン

の研究に熱中。わずか7歳でドイルに関する品の収集を始め、自宅の屋根裏部屋をベイカー街のシャーロック・ホームズの部屋の造りに模すほどだった。

名門オックスフォード大学で英文学を学んだ後、彼自身もシャーロック・ホームズに関する多くの著作を出版。最終的な目標は敬愛するドイルの伝記を執筆することだった。すでにドイルの伝記は何人かの作家によって書かれていたが、グリーンからすればいずれも不完全。彼はドイルの娘ジーン・ブロメットと親しい関係を築き、彼女が持っていた父の記録を使えば、満足のいく作品に仕上げられる自信があった。

2004年、国際オークションハウスのクリスティーズ社が「コナン・ドイル・コレクション」を売却すると発表した。グリーンは、この豊かな資料がアメリカ人の手に渡る可能性に激怒するとともに、これらの多くがかつて自分が発見した後、何者かに盗まれたものと主張。クリスティーズ社にオークションの中止を訴えた。この考えにはドイルの娘ブロメットも同調し、彼女もまた父の収集品は大英図書館に遺贈されるべきと主張。しかし、最終的にオークションに反対するだけの証拠を揃えられず、中止の申し立ては見送らざるをえなくなる。

死の数週間前、グリーンが友人やジャーナリストに語ったところによると、正体不明のアメリカ人が自分を追っており、オークションへの反対表明が命を危険

シャーロック・ホームズの生みの親、作家アーサー・コナン・ドイル。グリーンはドイル関連品のコレクターとしても知られていた

グリーンの著作は
日本でも数多く出版されている

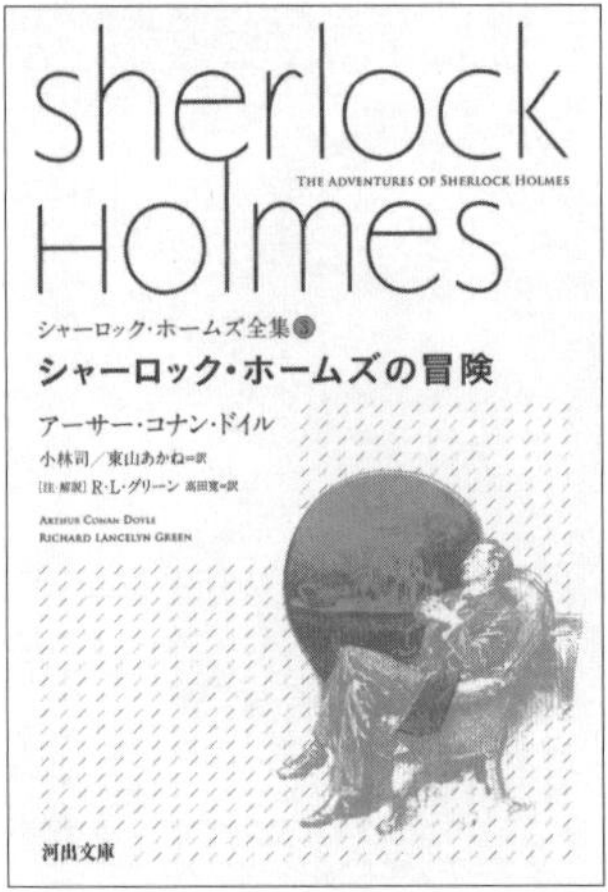


にさらしていると深刻に悩んでいたそうだ。グリーンの妹は、兄が精神的に不安定な状態にあり妄想にとらわれていることを案じ、彼のアパートに何度も様子を見に足を運んでいた。そして、ついに変わり果てた兄の姿を見つける。

最近のグリーンの状態から、妹は直感で兄が自殺したものと考えた。が、文筆家でもある彼が遺書を残さないのは不自然。最後の夜、夕食を共にした友人は、グリーンに変わった様子はなかったと述べ、周囲の人々も彼が自殺を図るような人間ではないと証言している。では、彼が警察の推測どおり殺されたのだとしたら、犯人は誰か？

グリーンがオークションで恐れていたのは、ジョン・レレンバーグというアメリカ人作家だ。

グリーンがライバル視し、ドイルの遺品が手元に渡ることを恐れていたアメリカの作家でシャーロック・ホームズ研究家ジョン・レレンバーグ（1944年生）。グリーン殺害の嫌疑をかけられたが証拠は何もない

彼はシャーロック・ホームズに関する多くの本の著者であり、シャーロック・ホームズ研究に関してもグリーンと双璧を成す著名な人物だった。しかも、グリーンが死んだ夜、レレンバーグがロンドンにいたこともわかっている。当然のように警察はレレンバーグにも事情を聞いたが、彼はグリーンと接点はなく、事件にも全く関係していないと主張したそうだ。

結局、検視官はグリーンの死は自殺とも他殺とも結論づけなかった。が、一部ではこんな噂も立っている。ライバルであるレレンバーグを犯人に仕立て上げるため、グリーンがトリックを使い他殺に見せかけた自殺を図ったのではないか。そうすることでドイルの遺品が英国から流出するのを阻止したのではないか。しかし、仮にグリーンの目論見が事実だとしても、それは皮肉な結果に終わった。オークション後、ドイルの最も重要な文書の多くは結局、大英図書館に収まることが決まったのだから。

## 運転手、乗客が突然嘔吐に見舞われたものの原因不明

# バンクーバー「市営バス98」事件

2004年5月、カナダ・バンクーバーで奇妙な事件が起きた。「市営バス98」が通常どおり運行していると、途中のバス停から1人の男が乗車し、運転手に「調子はどう?」と声をかけ「悪くないよ」とドライバーが返答したところ、男は「長くは続かないよ」と意味不明な言葉を発した。

異変はバスが数ヶ所の停留所に止まった後、発生する。運転手が急な吐き気に襲われコントロール不能な嘔吐を繰り返したのだ。同時に他の乗客も嘔吐を催し始める異常事態に発展。すぐに救急隊員が呼ばれたが、彼らもまた吐き気を催し事態は深刻化していく。バイオテロの可能性が考慮され、現場には規制線が張られた。しかし、化学部隊がバスをいくら調べても有毒物質は発見できない。それでも警察は何らかの原因があるはずだと考えたが、病院に担ぎ込まれた乗客らの体内からも何一つ見つからず、謎の言葉を発した男の正体も不明のままだった。

同じような謎の事件は2005年、オーストラリアでも起きている。メルボルン・タラマリン空港で異臭による吐き気を訴える人々が続出し、現場に居合わせたニュースレポーターが昏倒。都合47人が有毒ガスを吸い込んだ疑いで病院に運ばれたが、有毒物質は一切発見されなかった。また、2017年には、キューバの米大使館勤務者22人が難聴や吐き気、めまい、鼻血、不眠症など突然、様々な体調不良に陥った。その中の1人で頭痛を訴える患者を診察したところ、

脳震盪の症状が現れていたものの、本人はこれまで一度も頭を打ったことがないという。事態を重く見た米政府はキューバにＦＢＩを派遣、徹底的に調査したが、音響兵器などの証拠は発見できなかったそうだ。

いったい、彼らに何が起きたのか。最近になって浮上した説が「集団ヒステリー」だ。これは、震災などの災害時や緊急時などに、パニックに陥った人々の間で突発的に伝染し、急激に広まる非常に危険な集団心理である。が、一連の事件に遭遇した人々が、本当に緊急事態に襲われていたのかどうかは疑問が残る。真相は未だわかっていない。

集団嘔吐事件が起きたカナダ・バンクーバーの市営バス98

# 売れっ子金融ライター飛び降り自殺事件

## 投資会社を経営する長年の友人が関与している可能性大

２００６年、32歳のレイ・リベラは人生の絶頂期にいた。米メリーランド州ボルチモアを拠点とするライター兼ビデオグラファーで、投資会社「スタンズベリー・アンド・アソシエイツ」社の金融ライターとしても活躍。プライベートでは、美人の妻アリソンと結婚したばかり。他にもジョンズ・ホプキンズ大学の水球チームのアシスタントコーチも務めていた。しかし、その充実した暮らしは、ある日を境に一変する。

２００６年5月16日、リベラは会社からの電話を受け16時頃に自宅を出た。そのとき妻は出張中で、たまたま泊まりにきていた知人によれば、リベラは何かに動揺しているようで、書斎の電灯やコンピュータの電源を切ることさえせず家を飛び出していったという。

翌朝になっても彼は自宅に戻らなかった。妻からの電話

失踪したリベラの情報を求めるポスター

にも出ず、夫の身を案じたアリソンは警察に行方不明の届けを出す。失踪から1週間後の5月23日、ボルチモアの中心にあるマウントバーノンの駐車場で放置されたリベラの車が見つかった。ニュースを知った同僚たちが駐車場ビルの最上階から辺りを見回したところ、すぐ隣の「ベルヴェデーレ・ホテル」の屋根に穴があいていることに気づいた。報告を受け捜索に乗り出した警察は、ほどなく同ホテルの使用されていない会議室でリベラの腐乱死体を発見する。状況的に、遺体はホテルの屋根の穴を抜けて墜落したように見え、警察はリベラが駐車場ビルの屋上から飛び降り自殺を図ったものと判断した。

しかし、妻のアリソンは納得できない。夫に自殺を選択するほどの精神疾患はなく、近い将来、ハリウッドで脚本家になるべくロサンゼルスに引っ越す具体的な計画があった。家族も自殺を強く否定した。リベラの高所恐怖症の彼が屋上から身を投げるなどありえない、と。

妻アリソンと。近い将来、ロサンゼルスに引っ越し映画の仕事に携わる予定だった

その後、リベラの死に関して数々の謎が浮かび上がる。まず、14階建てのホテルの屋根に通じる階段に設置されていたセキュ

リベラの遺体は、ボルチモアのベルヴェデーレ・ホテルの使用されていない会議室で発見された

リティカメラが、リベラが死んだ日に取り外されていたこと。もう1つは、屋根の角度を考えたとき、リベラは隣接する建物の屋上から13メートルも離れた場所に落下していたこと。走り幅跳びの選手でも、そこまで遠くにジャンプするのは到底不可能だ。さらに、ホテルの屋根の上で見つかった彼の携帯電話が無傷だったこと、リベラがいつもお守りのように身につけていたマネー・クリップがなくなっていたことも実に奇妙だった。

警察は正式にリベラの死を自殺と断定した。が、彼を知る多くの人が、リベラが何者かに殺害されたと感じていた。妻アリソンによれば、夫が失踪する直前の数日間、電話の音に飛びあがり、非常にナーバスに見えたという。またリベラが妻と外でランニングをしている際、彼女が全く知らない男を見て夫がパニックになり、妻を急いで家に帰したこともあったそうだ。常に何かに怯えていたリベラ。妻はそれが夫の死と無関係とは考えにくかった。

リベラがカリフォルニアからボルチモアに引っ越してきたのは、学生時代からの友人で投資会社スタンズベリー・アンド・アソシエイツ社の創設者ポーター・スタンズベリーから、金融ニュースレターを執筆する依頼を受けたからだ。が、同社は、かつて米国証券取引委員会から「インターネットのニュースレターに虚偽の情報を流布することによる詐欺行為」で有罪判決を下されていた。リベラが頼まれた仕事は、そのニュースレターで会社の悪い評判を一掃することだったという。

リベラの死後、同社は妙な対応をとった。彼の遺体が発見されてからわずか数時間後、全従業員にリベラの死について警察に一切話をしないよう命じたのだ。リベラが家を出る原因となった電話が、スタンズベリー・アンド・アソシエイツ社からのものだったことはわかっている。が、誰がかけたかはこの緘口令により解明できず、会社創設者のスタンズベリーも当局からの事情聴取を拒否し続けているという。

リベラが会社のダークサイドな部分を担い、それが原因で死に至った可能性は高い。果たして真相が明らかになる日は来るのだろうか。ちなみに、この事件は2021年10月現在、ネットフリックスのオリジナルドキュメンタリーとして世界中に配信されている。

リベラをボルチモアに呼び、金融ライターとして雇った投資会社の代表者で長年の友人でもあるポーター・スタンズベリー（右）。警察の取り調べを拒否したことから強い嫌疑の目を向けられている

## 乗組員3人はどこに消えたのか？

# 難破船「KAZ Ⅱ」事件

本書172ページで取り上げたメアリー・セレスト号を彷彿とさせる事件が2007年にも起きている。4月16日、オーストラリア・クイーンズランド州ボーエン沖のサンゴ礁で釣りをしていた小型船の船長が、海上で漂流する全長12メートルの船「KAZ Ⅱ」を発見、クイーンズランド緊急管理事務所に通報した。

救助隊が駆けつけ、船内に乗り込むと妙な光景が広がっていた。乗組員が誰1人としていないにもかかわらず、エンジンは動き、テーブルに食事が用意され、ノートパソコン&ラジオの電源は入ったままでGPSも作動中。また人数分の救命胴衣を含む緊急時のサバイバルキットは船内で発見されたが、救命いかだは失われていた。充分航行が可能なのになぜ乗組員がいないのか。救助隊員は不思議でならなかった。

KAZ Ⅱは発見される2日前の4月14日、クイーンズランド州からオーストラリア西部へ向けて出港。乗船していた

漂流状態で見つかったKAZ Ⅱ

船内からいなくなっていた3人の乗組員。左からジェームス・タンスティード（事件当時63歳）、デレク・バッテン（同56歳。船長）、ペーター・タンスティード（同69歳。ジェームスの兄）

のは船長のデレク・バッテン以下3人の男性である。

彼らを捜すべく、すぐに12機の航空機による空、および海からの両方で捜索が開始された。が、2週間以上かけても消息はわからずじまい。結局、5月4日に捜索は打ち切りとなった。『シドニー・モーニング・ヘラルド』紙は乗組員捜索断念を伝える紙面の中で「KAZ Ⅱは4月15日の夜に座礁、乗組員3人が船を動かそうとして暖かいサンゴ礁の海に飛び込んだとき突風が吹き、そのまま船と離れ離れになった」という仮説を掲載。船内が綺麗に整頓されているにもかかわらず乗組員たちだけがいない理由を解説したが、同時にこれを立証するものは何もないとも述べている。

その後、GPSの航海記録をもとにクイーンズランド州タウンズビルの連邦検視事務所で調査が行われ、1年半後の2008年8月に公式検視報告書が提出された。報告書は「(乗組員たちが）確実に死亡しているとは断定できない」とし、事件は迷宮入りとなった。

## アイルランドの浜辺で発見された身元不明の男性遺体

# ピーター・バーグマン事件

２００９年6月16日、アイルランド北西部の浜で１人の男の遺体が見つかった。男は４日前から同国を訪れ「ピーター・バーグマン」の名前でホテルに宿泊。外出のたびに町中の防犯カメラにその姿を撮影されていたが、警察がいくら捜査しても、男の素性や目的は解明できなかった。

同年6月12日19時前、アイルランド北西部沿岸の港町スライゴにあるスライゴ・シティ・ホテルに1人の男がチェックインし1泊分の料金65ユーロを現金で支払った。歳は50代後半から60代前半、身長約１８０センチ、きゃしゃな体、グレーの短髪、目は青。全体的に身ぎれいな出で立ちで、言葉にはきついドイツ訛りがあった。男は宿泊名簿の名前にピーター・バーグマン、住所欄には「オーストリア、ウィーン、４４７２、アムシュテッテン15」と記入した。

男がホテルに入るまでの行動が明らかになっている。同日14時30分から16時30分の間、スコッドランド・デリーにおり、アルスター・バス停留所からバスに乗り、18時28分スライゴ・バス停留所に到着しホテルへ。持ち物は黒のショルダーバッグとキャリーバッグの2つだった。

ホテル滞在中、男は品物でいっぱいのビニール袋を持ち幾度となく外出、その姿が防犯カメラに収められている。が、ホテルに戻ってきた際、持ち物は全てなくなっていた。男は何らか

町の防犯カメラに映った「ピーター・バーグマン」を名乗る男の姿

の理由で所持品を町中で処分していたようだが、実際に捨てる様子は目撃されておらず、防犯カメラにも捉えられていない。そこに男の意図があることは明白だった。

目撃情報などから確認された男の行動は次のとおりだ。チェックイン翌日の13日、郵便局まで歩き8枚の82セントの切手と航空便ステッカーを購入。14日は11時から11時30分までの間にホテルを出てタクシーに乗車。運転手におすすめの静かな浜を訊ね、推薦されたロッセス・ポイントの浜辺でしばし泳ぎを楽しんだ後、待たせていたタクシーでホテルまで戻った。15日、13時にチェックアウトし、フロントにルームキーを手渡しホテルを後にする。そのときの所持品は黒のショルダーバッグ、パープルのビニール袋、別の黒のラゲージバッグの3つ。チェックイン時にあったキャリーバッグは持っていなかった。13時38分、バスステーションでカプチーノと、ハム

遺体が見つかったロッセス・ポイントの浜辺

とチーズのトーストのサンドイッチを注文。それを飲み食いしながらポケットから出した複数の紙片を眺めた後、紙を半分に破り、そばのゴミ箱に投げ捨てた。14時20分、バスに乗り昨日行ったロッセス・ポイントへ。ここで複数の通行人に挨拶しながら浜を歩いている姿を16人に目撃されている。

16日午前6時45分、ロッセス・ポイントでトライアスロンのトレーニング中の親子が、浜辺に横たわっている男を発見した。すでに死亡していることは見た目にも明らかだった。親子の通報で現地に駆けつけた警察は男の死亡を確認。すぐに捜査が開始される。

警察の報告によれば、遺体は裸の状態で見つかったものの、着ていた服が浜に散乱し、財布、金銭、身元を確認できる書類などは一切なかったという。歯の状態は良く、生前にしばしば歯の治療を受けていた痕跡があった。ただし、健康状態は悪く、検視の結果、前立腺ガンの進行段階にあったことが判明。心臓には以前発作を起こした形跡があり腎臓は一つのみ。これらのことから検視官は、男がこの日、持病に伴う心臓発作を起こし、死亡したものと見解を述べた。

いったい、男は何者だったのだろうか。警察の調べで、彼がチェックイン時に記入した住所は更地で、ピーター・バーグマンという名前も偽名だったことがわかっている。つまり、男は身元を隠したかったのだ。そこまでしてアイルランドの港町に訪れた理由は何か。彼は町中に何を捨てていたのか。当局は5ヶ月間にわたって捜査を続けたが、結局、男の身元を明らかにできなかった。

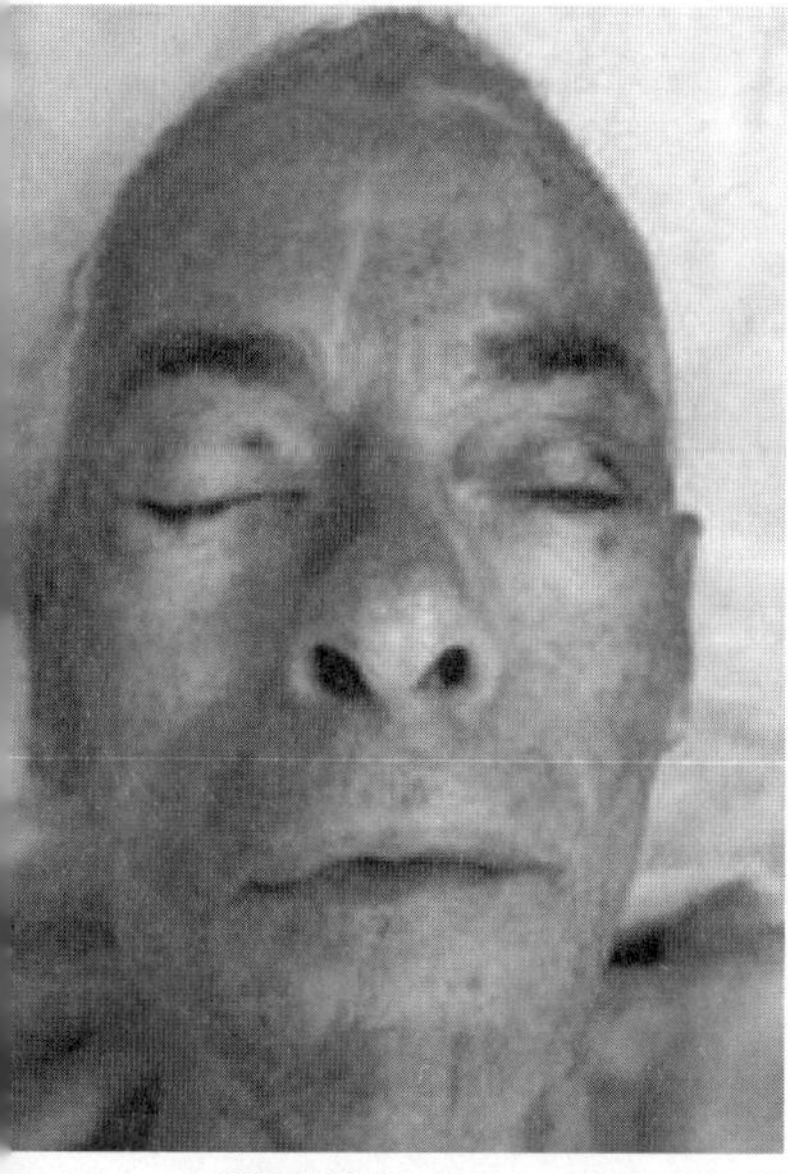

遺体安置所で撮影された男の死に顔

## 人口わずか4千人で61組。原因は現地の水に関係あり!?
# 驚異の双子村「ヴェリカヤ・コパンヤ」

双子を出産する確率は100人に1人、つまり全出産の1%程度と言われる。が、ウクライナにある人口約4千人のヴェリカヤ・コパンヤ村には2016年現在、61組（122人）の双子がいる。現地の話によれば、2004年以降、毎年必ず2組か3組が産まれているという。

村で最も年長の双子の1人で、孫にも3組の双子を持つ女性は、双子の妹を9年前に亡くした。一心同体のように育った2人は、後年に妹が村を離れて暮らしたことで年に1回しか会えなくなってしまったが、どちらかが体調を崩した際には互いにシンパシーを感じ、彼女が9年前に悪い胸騒ぎを覚えたそのとき、ちょうど妹が天国に旅立ったそうだ。

2010年に行われた英BBCの取材では、当時10歳だった双子が取り上げられていた。この2人は似た服を着ると全く見分けがつかず、親ですら迷ってしまうほど。学校でどちらかが宿題を忘れたときなども、入れ替わって取りつくろえば絶対にバレないのだという。BBCの取材時、村の双子は58組。その後引っ越しなどで村を去った人も数多くいるなか、6年でさらに3組増加しているのは驚き以外の何物でもない。さ

のどかな光景のこの村にいったい何が？

村の学校に通う12組の双子（2010年、BBCの取材時）

らに不思議なのは、ヴェリカヤ・コパンヤ村では人間以外に、飼育されている牛にも多くの双子が誕生しているという。いったい、この村に何が起きているのか。

現地では村の水に原因があると考えられている。何でも、給水所として村で共同で使用されているその湧き水を、160キロほども離れた場所に住む不妊に悩んでいた女性が汲んで飲んだところ、やはり双子を授かったという。が、科学者らが水質を調べても、清潔な水ということ以外は特に変わった成分は抽出されなかったようだ。

ヴェリカヤ・コパンヤ村以外にも、世界中には同じく驚異的に双子の多い地域が複数ある。ブラジル南部のカンディド・ゴドイ村やナイジェリアのイグボーラ村、インドのコディンヒ村など。いずれも主食や土壌、水質に原因があるのではないかと言われているが、未だ解明されていない。

## 障害を抱えたイギリス人女子高生に何が起きたのか

# ノラ・クォイリン失踪・遺体発見事件

2019年8月4日、イギリス人女子高生ノラ・クォイリン（当時15歳）が、家族と旅行で訪れていたマレーシアのリゾート地から行方不明になった。失踪当日の朝、両親が目を覚ますと、ノラの寝ていた部屋の窓が開いており娘の姿が消えていたという。

両親の通報を受け、地元警察やボランティア数百人、および警察犬や無人探知機などを使った大規模捜索が始まった。が、数日が経過してもノラの痕跡はどこにもない。しかし、失踪から9日後の8月13日、事件は最悪の結末を迎える。男性ボランティアの1人がジャングルの中でノラの遺体を発見したのだ。検視の結果によると、ノラは飢餓と精神的ダメージにより腸内に炎症を起こし死亡したものとみられ、肉体的、性的な暴行の跡は

ノラ・クォイリン本人

ノラの失踪後、報道陣の前で娘の身を案じる両親（中央の2人）

なかったという。さらに医師らは、彼女が発見される2、3日前まで生きていた可能性が高いと発表した。

両親は当局の見解に納得できなかった。ノラの遺体が見つかったのは、家族が宿泊していたリゾート地からわずか2・5キロほど離れた滝のそばで、捜索隊は発見直前にも同じ場所を捜していたが、その際は何も見つかっていなかったという。また、遺体が全裸だったことから、両親は娘が誘拐され殺害された可能性もあると指摘した。彼らが事件を疑うのには、他にも理由があった。ノラは生まれつき学習障害と発達障害を抱え、日常の生活や会話、歩行に困難を要した。そんな娘が、1人でホテルを抜け出し知らないような場所に行くことは絶対にないという。

対し、地元警察は「白人の女の子が1人で川で泳いでいた」という目撃情報が寄せられていたことなどから、ノラは自らジャングルに入って迷い、亡くなったものと断定した。では、なぜ彼女は1人でホテルを出てジャングルの中を彷徨ったのか。彼女自らの意思か、あるいは何者かに誘い出されたのか。両親は現在も娘が事件に巻き込まれたものと確信しているそうだ。

# 第4章 陰謀の影

# 轢死体で見つかった国鉄初代総裁は自殺か他殺か

## 国鉄三大ミステリー① 下山事件

謎の死を遂げた国鉄初代総裁、下山定則

第二次世界大戦終結から4年後の１９４９年夏、不可解な謎が残る事件が立て続けに発生した。いずれも旧国鉄が絡む通称「国鉄三大ミステリー事件」だ。

一連の事件は下山事件から始まる。7月5日、つい1ヶ月前に発足した日本国有鉄道（国鉄）の初代総裁・下山定《しもやまさだ》則《のり》（当時47歳）が出勤途中に行方不明になった。下山は同日午前8時20分頃、東京都大田区上池台の自宅を公用車で出発。普段は午前9時前に国鉄本社に着くのだが、その日は運転手に日本橋のデパート・三越に行くよう指示した。が、店はまだ開店前。いったん車で国鉄本社のある東京駅前付近に向かい、千代田銀行（後の三菱銀行、現在の三菱ＵＦＪ銀行）に立ち寄るなどした後、再び三越へ。午前9時37分頃、「5分くらいだから待っててくれ」と運転手に告げて公用車を降り、急ぎ足で三越に入ったまま消息を絶ち、翌6日の午前0時30分過ぎ、足立区綾瀬の国鉄常磐線北千住駅〜綾瀬駅間で貨物列車による轢断遺体として発見される。

遺体はバラバラに切断され、部位が現場に散らばっていた。問題は生きたまま列車に轢かれ

轢死体が発見された線路上を捜索する捜査員

たのか、それとも死後に轢かれたのか。遺体に生活反応（生きている人間のみ発生する呼吸、皮下出血、炎症、化膿などの身体変化）があれば自殺、なければ他殺の可能性が高くなる。

遺体を検分した東京都監察医務院の八十島監察医は、それまでの礫死体の検視経験から、現場検証の段階で自殺と判断。さらに慶応大学の中舘教授も生体轢断を主張した。対し、解剖執刀者で法医学の権威である東京大学の古畑教授は、下山総裁の性器や筋肉や表皮組織に生活反応が認められないことから、他殺を主張した。

一方、失踪当日の下山の行動も明らかになった。その姿は、まず行方不明となった日本橋の三越店内、次に銀座線の浅草駅行き列車内で目撃されていた。最も目撃証言が多いのは、5日の14時から17時頃まで東武伊勢崎線五反野《ごたんの》駅にほど近い「末広旅館」

バラバラに散らばった部位を棺桶に集め搬出される下山総裁の遺体

に滞在、その後18時から20時頃まで同線沿線を歩く姿だった。そこは事件現場と目と鼻の先である。
当時、朝日新聞の社会部記者だった矢田喜美雄《やだきみお》は末広旅館の女将に改めて話を聞き、滞在した部屋に煙草の吸い殻が残っていなかったとの証言を得ている。煙草好きの下山が3時間も喫煙しなかったとは考えにくい。すなわち、旅館に滞在した下山も、その後、線路脇を歩いていた下山も、背格好が似た別人という可能性もあるのだ。

では、他殺だとしていったい誰が下山を殺したのか。下山は国鉄の初代総裁に納まるや、当時日本を支配下に置いていたGHQの緊縮財政政策（いわゆるドッジ・ライン）から、約10万人近い人員整理を迫られていた。他殺説を唱えていた警視庁捜査2課と東京地検の特捜部は、人員整理に反対する国鉄労組による犯行という線で捜査を進めるが、確証を得られないまま捜査規模を縮小していく。

自殺説に傾いていた捜査1課も結論を出さないまま、1949年12月31日に特別捜査本部を解散。事件は事実上、迷宮入りとなる。が、前述の矢田は下山事件の真相究明が生涯の仕事と、朝日新聞退社後も取材を続け、最終的にアメリカ軍内の防諜機関に命じられて死体を運んだとする男に行き着いたとして、その人物とのやりとりを著書に記述。また、作家の松本清張は1960年に発表した『日本の黒い霧』の中で、事件当時日本を占領下に置いていた連合国軍の中心的存在であるアメリカ陸軍防諜部隊が事件に関わったと推理した。

ただ、事件は下山が大規模な人員整理の責任者の立場に置かれたことにより鬱病を発症、発作的に列車に飛び込んだなどの自殺説も少なくない。結局真相はわからぬまま、1964年7月、殺人事件の公訴時効が成立し未解決事件として処理された。

下山氏自殺説は消滅
複雑・巧妙な殺人
捜査線に"足どり"浮ぶ
堀崎捜査課長談
死亡は夜九時―十時
解剖結果 ひかれたのは死体

新聞も他殺を有力視していたが…

無人電車を暴走させた真犯人は誰か？

# 国鉄三大ミステリー②　三鷹事件

前項の下山事件から10日後の１９４９年7月15日21時30分頃、国鉄三鷹電車区（現在の三鷹車両センター）から無人の電車が走り出し、三鷹駅の下り１番線に進入。時速60キロのスピードで車止めにぶつかり、そのまま脱線転覆しながら線路わきの商店街に激突。車両の下敷きとなって19歳から58歳までの6人の男性が死亡し、20人の負傷者が出る大惨事が起きた。いわゆる三鷹事件。この事件もまた多くの謎に包まれている。

事件発生当時、ＧＨＱのドッジ・ラインにより、日本には国鉄の10万人だけでなく官民あわせて約１００万人という大量の人員整理が課せられていた。これに対し労働組合は激しく反発。１９４９年1月の総選挙では、日本共産党が35議席を獲得する大躍

無人の電車が暴走して6人が死亡、20人が負傷する大惨事に

進をみせた。GHQはこうした社会の動向を共産主義化につながると警戒。共産党員やその支持者が多かった国鉄を目の敵にし、その意を酌んだ時の吉田茂内閣は、三鷹事件が起きるとすぐさま事件は思想的背景をもつ犯罪だと示唆する談話を発表した。

捜査当局は、事件の2日後には三鷹電車区および中野電車区の分会長を逮捕、その後、実行犯として国鉄労働組合の組合員で日本共産党員9人と非共産党員の元運転士・竹内景助《たけうちけいすけ》を検挙する。そのうちアリバイが成立した1人が釈放され、最終的に共産革命を狙う政治的な共同謀議による犯行として竹内を含む10人が起訴され、さらに2人が偽証罪で捕まった。

ところが翌1950年8月に行われた第一審、東京地方裁判所の判決では、共産党と組合の共同謀議に基づく共同犯行という検察側の主張を退け、竹内被告の単独犯行と断定。竹内1人に「往来危険汽車転覆等致死罪」による無期懲役の判決が下り、他の者たちには無罪が言い渡された。

無罪を訴えながら45歳で獄死した竹内景助。面会した作家の加賀乙彦に「党によって死刑にされたようなもんです」と語っていたそうだ

なぜ政治的な共同謀議から単独犯へ方向転換されたのか。さらには、6人が亡くなる大罪であるにもかかわらず、なぜ無期懲役なのか。法廷では、計画性がなかったこと、人命を奪うという結果を想定していなかったことなどで情状酌量が認められたためと説明されたが、検察が全員の有罪を求めて控訴した結果、1951年の東京高裁は書面審理だけで一審の無期懲役判

決を破棄し、死刑を言い渡した（他9人は一審の判決どおり無罪）。弁護側は無罪の主張とは別に、被告人の顔も見ぬまま死刑に変更することの非道も訴え最高裁に上告したものの、口頭弁論も開かれないまま1955年に死刑が確定。ちなみに、このときの判決が8対7の1票差だったことが物議を醸し、以後の最高裁の死刑上告審理では口頭弁論を開くことが慣例となったという。

実はこの裁判で最も不可解なのは、一審で竹内を担当した弁護士の態度だ。ひとつは、事件発生時刻に同僚と風呂を浴びていたことを証明できる証人がいたにもかかわらず、法廷で取り上げなかったこと。さらには、竹内が法廷で単独犯であることを自白したのは、この弁護士に勧められたからという事実。警察の厳しい取り調べで自白させられた竹内は、裁判で言うとおりに証言すれば悪いようにはしない、1人で罪を認めて他の共産党員を助ければ英雄になれるなどという弁護士の言葉を信じたのである。この背景には、全員が無罪

1955年6月22日、最高裁に詰めかけた支援者たち

になることだけは避けたい検察側、まずは党員が関与していないことを証明したい共産党側の双方にとって好都合な思惑があったとも言われる。

死刑判決を受けて以降、竹内は一貫して無実を主張。電車を暴走させる操作は1人ではできないという専門家の鑑定書や、事件当夜に竹内を事件現場で見たと証言した証人が「警察に言わされた」という供述書、事件発生時刻に竹内が電車区内の風呂場にいたとする先輩の供述書などをそろえ再審請求を申し立てたが、1967年1月、脳腫瘍のため獄死を遂げた。享年45だった。

この事件に関しては、様々な噂が乱れ飛んだ。曰く、警察関係者の間で7月15日に三鷹駅で大事件が起きるという噂が流れていた（暴走電車によって大破した三鷹駅前の交番には4人の警察官が勤務していたが、事件時は交番を留守にしていたため4人全員が助かった）。事故直後、20〜30人のヤクザ風の男たちが「共産党の仕業だ」と騒いでいた。アメリカ軍のジープが素早く事故現場にやってきて野次馬たちを「ゲッタウェイ」と追い出した等々だ。果たして犯人は本当に竹内なのか、共産党や国鉄労組の犯行か、はたまたGHQの陰謀なのか。

事件から70年が経過した2019年7月、東京高裁は竹内の遺族による再審請求の申し立てを退ける決定を下した。

竹内の長男が2011年に申し立てた2回目の再審請求に対し、2019年7月31日、東京高等裁判所は再審開始を認めない決定を下した

# 「アメリカがやって共産党のせいにした」
# 国鉄三大ミステリー③ 松川事件

三鷹事件から約1ヶ月後の1949年8月17日午前3時9分頃、青森発上野行きの国鉄東北本線上り旅客列車が福島県信夫《しのぶ》郡（現在の福島市北五老内町）の金谷川駅─松川駅間のカーブに差しかかったとき、先頭機関車が脱線転覆。続く荷物車や郵便車など5両も脱線し、乗務員3人が死亡した。世に言う松川事件である。

現場検証の結果、事故現場付近のレールの継ぎ目部に使われていたボルトやナットが緩められ、継ぎ目板が外されていたことが判明。しかもレールを枕木の上に固定する犬釘が抜かれ、長さ25メートル、重さ925キロもあるレールが1本、線路から13メートルも離れたところに何の破損もなく真っ直ぐな形のまま、あたかも誰かがそこに運んできたかのように置かれていた。証拠に、犬釘を外すために使わ

1949年8月17日、国鉄東北本線の
金谷川駅～松川駅間で起きた列車転覆現場

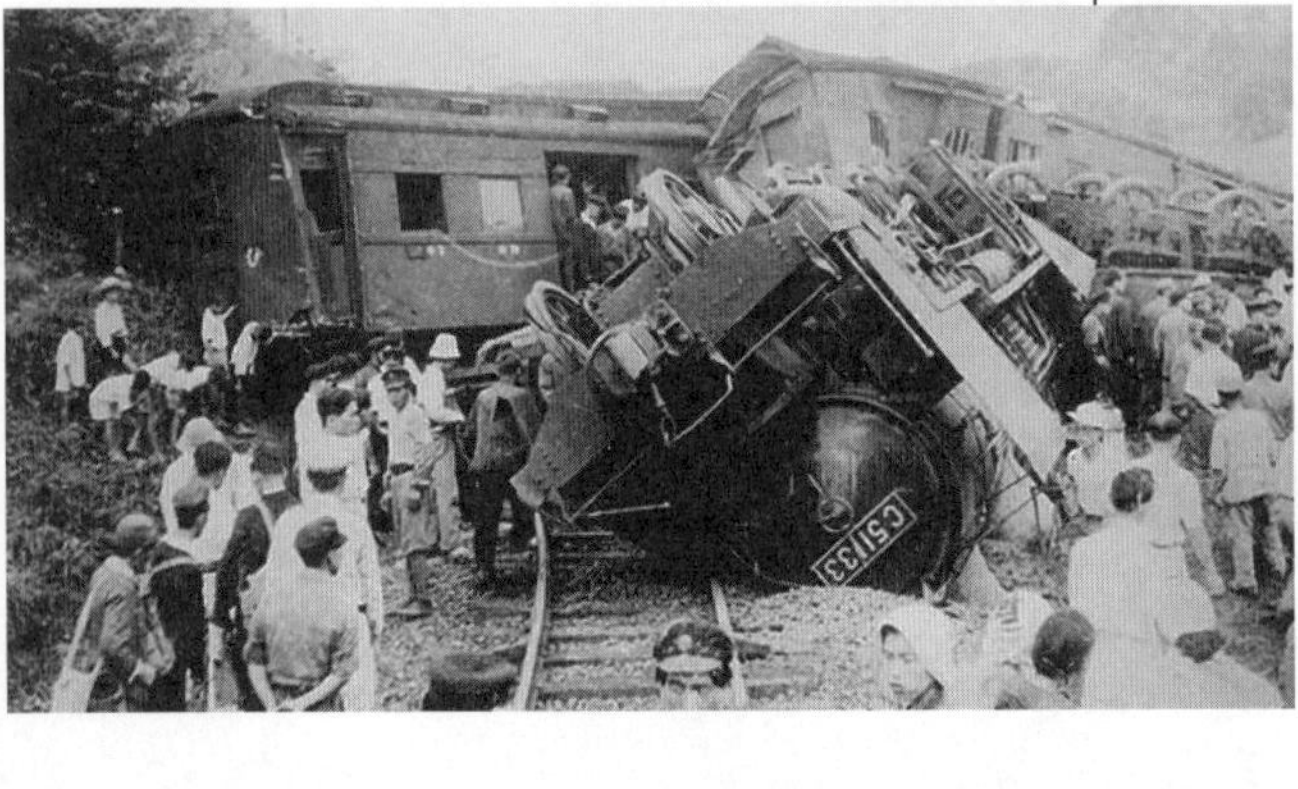

1963年9月12日、全員無罪の最高裁判決に喜ぶ被告団

れたと思しきバールとスパナが1本ずつ、付近の稲田の中から発見された。

1949年夏に起こった3つ目の鉄道事件は世間の注目を集め、事件翌日には当時の内閣官房長官が、「（三鷹事件などと）思想底流において同じものである」との談話を発表する。それを受けてか、警察は最初からこの事件を、大量人員整理に反対した国鉄労働組合（国労）と、東芝松川工場（現・北芝電機）労働組合との共同謀議による犯行と見立てて捜査。9月10日、事件当夜に事故現場付近にいた元国鉄線路工の少年（当時18歳）を傷害罪で別件逮捕し脅迫や拷問まがいの取り調べを行った結果、逮捕後9日目に少年が松川事件の犯行を自供。その自供により以後、共犯者として国労員と東芝労組員の幹部など合わせて20人（18歳から47歳の男性19人、女性1人）が逮捕・起訴された。

1950年12月に福島地裁で行われた一審判決では、被告の20人全員が有罪（うち死刑が5人。いずれも犯行を否認）になったが、裁判が進むうちに、当局のでっち上げが明らかになっていく。例えば、死刑を求刑された1人、斎藤千氏は、男性ながら名前を「ゆき」と読む。が、組合員名簿から適当に犯人を選んだと思しき捜査陣は、名前の読みから女性と信じ込んでいたらしい。「斎藤ゆきという女性が列車転覆の作戦会議に参加し、今日のことを話すと命はないぞと脅した」などと、犯行を自供した被告の供述書にリアリティを出そうとしたものだから、辻褄が合うはずがない。

いったん自白をした人たちも公判では否認に転じ、時には被告が自ら反対尋問に立って自分を責め立てた捜査官に反問。犯行に向かったルートが途中で変わったり、「謀議」に参加したとされた者がアリバイがあったために供述書の中からいつの間にか消え去ったりと、当局が描いたシナリオの矛盾が次々と露わになった。1953年12月の二審判決は17人が有罪（うち死刑が4人）、3人が無罪。その後、宇野浩二、吉川英治、川端康成、志賀直哉、武者小路実篤、松本清張、佐多稲子、壺井栄ら作家・知識人による支援運動が発足するなど世間の注目が集まるなか、1959年8月、最高裁はついに二審判決を破棄し、仙台高裁に差し戻しを命じる。検察側が隠していた「諏訪メモ」（被告たちのアリバイを証明する労使交渉出席者の記録）の存在が明らかになり、犯行に使われたと主張したスパナではボルトを緩められないことが判明したのだ。

さすがに当局もこれ以上の悪あがきは断念したのか、1961年の差し戻し審では被告全員に無罪判決が下され、1963年には最高裁が再上告を棄却、被告全員の無罪が確定。1970年には国に賠償責任を認める判断を下した。

では真犯人は誰なのか。事件直前、現場近くで怪しげな9人の男たちの目撃証言があったが、無罪判決確定後に捜査が継続された形跡は皆無。1964年8月17日午前0時、汽車転覆等および同致死罪は公訴時効を迎えた。

「国鉄三大ミステリー」と称される事件の背後には、いずれも当時の占領軍GHQの影が覗くものの確たる証拠はなく、都市伝説や陰謀論に思われていた。ところが、2019年8月、NHKが報じたところによれば、初代宮内庁長官・田島道治《みちじ》氏が昭和天皇との対話を詳細に書き残した『拝謁記《はいえつき》』にこの事件が登場、1953年11月11日、昭和天皇が「一寸法務大臣ニきいたが松川事件ハアメリカがやつて共産党の所為ニしたとかいふ事だが」「これら過失ハあるが汚物を何とかしたといふので司令官が社会党ニ謝罪ニいつてるし」と明かしているそうだ。専門家からは「これまで根拠なく語られてきた謀略説を裏づける初めての史料」という意見が出る一方、「この記述だけでは評価しようがない」という慎重論もある。真相は闇に埋もれたままだ。

初代宮内庁長官・田島道治氏が昭和天皇との対話を詳細に書き残したノートに記された「アメリカがやって」の文字

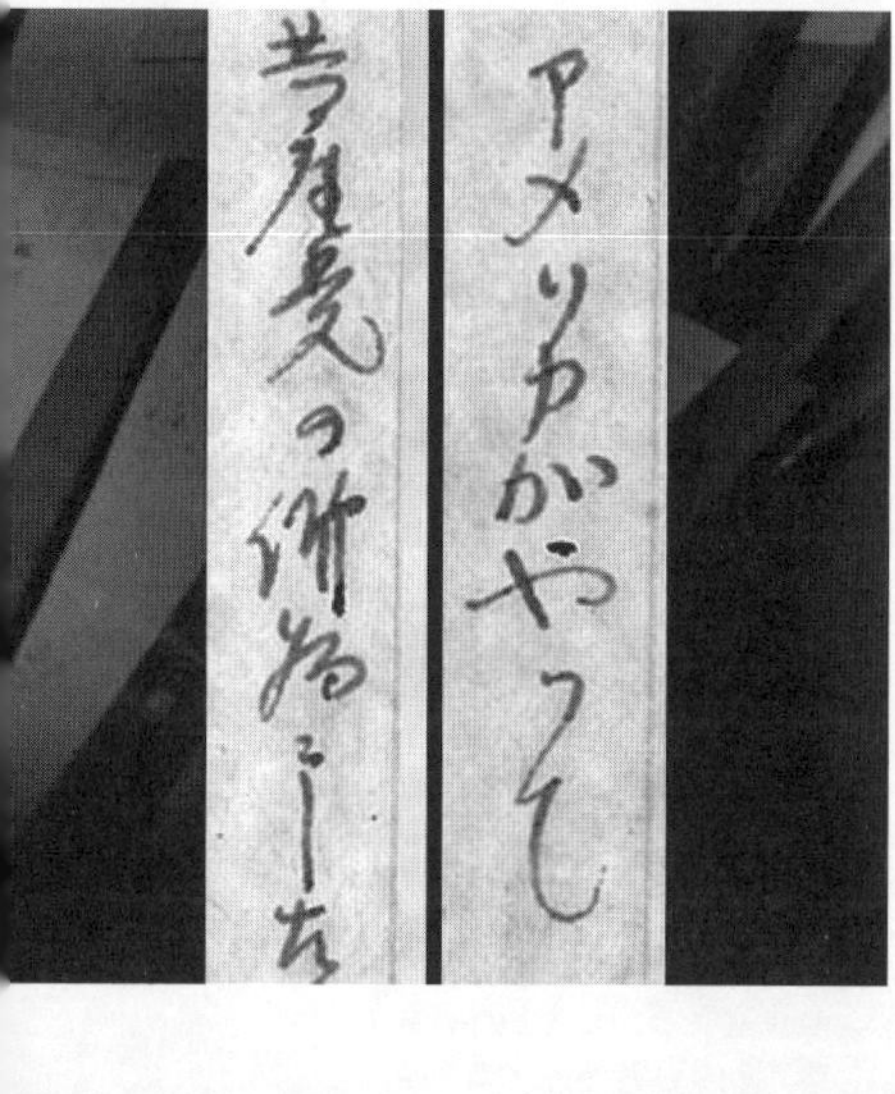

# CIAがLSDを"空中散布"した人体実験!?
# 呪われたパン事件

１９５１年8月16日、フランス南部のポン＝サン＝テスプリという人口４千５００人ほどの小さな町で大騒動が持ち上がった。町にある２つの病院が、寒気や腹痛、嘔吐といった食中毒と思しき症状を訴える患者でパンク状態に陥ったのだ。

事態は深刻で、中には幻覚やけいれんを起こす患者も出現。自分を飛行機だと思い込んで２階の窓からジャンプして両足を折る男性や、母親を絞め殺そうとした11歳の男の子もいて、10日あまりの間に５人が死亡し、50人以上が精神病院へ入院するなど被害者総数は３００人以上にの

「呪われたパン事件」がCIAの実験だったのではないかというアルバレリ・ジュニア氏の主張を伝える英『テレグラフ』紙のサイト

French bread spiked with LSD in CIA experiment

A 50-year mystery over the 'cursed bread' of Pont-Saint-Esprit, which residents suffering hallucinations, has been solved after a writer disco the US had spiked the bread with LSD as part of an experiment.

France
News »
How about that? »
World News »
Europe » USA »

Related Partners

The best way to trans money overseas

In France

Calais Jungle

An American investigative journalist has uncovered evidence suggesting the CIA peppered local food with the hallucinogenic drug LSD

ぼった。

当局の調査により、原因は町で評判のパン屋、ブリアンズベーカリーが製造・販売していたライ麦パンと特定された。ブリアンズベーカリーに小麦粉を卸していたモーリス・マイレーの製粉所が質の悪い小麦粉を販売していたのだ。小麦やライ麦の穂が汚染されると、黒い菌核＝麦角《ばっかく》が作られることがある。この麦角には「麦角アルカロイド」と呼ばれる毒性物質が含まれ、人間が摂取すれば血管収縮を起こし、脳の血流が不足して精神異常、けいれん、意識不明など様々な症状が生じ、最悪、死に至ることもあるそうだ。

現代では製粉段階で除去されるため中毒を引き起こすことはまずないが、当時のヨーロッパでは何度となく中毒事件が発生。ポン＝サン＝テスプリの事件前にもモーリス・マイレーの製粉所から小麦粉を購入していた周辺のパン屋が原因となる中毒が発生していたことも判明し、モーリス・マイレーと従業員などが逮捕され、「呪われたパン事件」は決着した。

ところが2009年になり、アメリカのジャーナリスト、アルバレリ・ジュニア氏が新たな説を提唱した。CIA（中央情報局。アメリカの諜報機関）がパンにLSD（幻覚剤）を混入、あるいは町に空中散布したというのだ。1950年代初めからCIAがマインドコントロールについて研究、LSDの利用を試み、精神科の患者らに無断で多量のLSDを投与するなどの実験（いわゆる「MKウルトラ計画」）を行っていたのは周知の事実。同氏はCIAの秘密文書から、事件当時、ポン＝サン＝テスプリから数百キロの場所にあった製薬会社でLSDが製造されていた事実を突き止め、呪われたパン事件は、CIAが秘密裏に行った人体実験だったのではないかと指摘。政府による調査が必要だと訴えている。

パイロットの操縦ミスか従軍機の撃墜か

# ハマーショルド国連事務総長搭乗機墜落事故

1961年、動乱さなかの中央アフリカのコンゴ共和国で、戦闘目的ではなかったはずの国連部隊と、コンゴから独立したカタンガ共和国の兵力が交戦状態に陥った。これを受け、当時の国連事務総長ダグ・ハマーショルド（56歳）が停戦交渉に向かったが、彼を乗せたチャーター機は9月17日夜、当時イギリス領だったアフリカのローデシア・ニヤサランド連邦（現在のザンビア）のンドラ空港付近に墜落。ハマーショルドを含む乗員乗客16人全員が死亡した。

現職の国連事務総長の事故死というニュースに加え、操縦士が警護上の理由から事前にフライトプランを提出していなかったこと、国連のコンゴ動乱への消極的介入をソ連から「反ソビエト的」だと非難され事務総長辞任を求められていたことなどから、陰謀説が広まった。中でも注目されたのは、事故当日、天空で明るい閃光を見たという証言が相次いだことだ。これは国連の特別報告にも正式に取り上げられた事柄で、このことから事故は撃墜や爆破など何らかの意図的工作であることが疑われる。

事故後、3つの公式調査機関が立ち上げられ、墜落の状況について徹底した調査が実施された。が、墜落原因はわからず、被弾や爆発の痕跡も一切発見されなかった。また、空で明るい閃光が見えたとの証言は、墜落後に生じた二次的な爆発ではないかと推測された。乗客の中で、ハマーショルドの護衛官だったアメリカのハロルド・ジュリアン軍曹は墜落で負傷したものの生きて発見され、墜落前に空で複数の閃光を見た、機上で爆発があったと医師らに話したそうだが、その詳細は不明である。ちなみに、ジュリアン軍曹は適切な設備のある病院に移送すれば十分助かる容態だったが、そのまま放置され5日後に腎不全で死亡している。

最終的に調査委員会は、チャーター機の経由地であるンドラ空港は海抜1千270メートル、対して最終目的地コンゴの首都レオポルドヴィル（現在のキンシャサ）にあるンドロ空港は海抜279メートルで、この名称が極めてよく似た2つの空港を操縦士が混同した結果、夜間のンドラ空港への着陸進入中に高度が低くなりすぎ、機体が地表に激突したものと結論づける。

こうして、いったん謀殺説は否定されたものの、その後もハマーショルドが暗殺されたとの噂は絶えない。1998年には、南アフリカの真実和解委員会議長が、イギリスのMI5、アメリカCIA、および南アフリカの課

ダグ・ハマーショルド国連事務総長（中央。1905年、スウェーデン生）。
写真は死の5日前、1961年9月12日に撮影されたもの

報機関が事件に関与、機体が着地した際に爆発するよう降着装置に爆発物が仕かけられたと発表。また、2005年7月29日のハマーショルドの生誕100周年に際し、ノルウェーの新聞が、国連将校として最初に墜落現場に到着、病院で遺体を検分したノルウェー軍の少将に取材したところによれば、ハマーショルドの遺体は他と違って焼けておらず、額に丸い穴があいていたのに後に公表された写真では加工されて穴が消されていたうえ、事故報告書から検視結果が除外されていたと証言したことを掲載している。他にも、2000年代に、事故を目撃した現地住民12人に聞き取り調査を行ったスウェーデン人研究者によれば、全員がチャーター機を別の飛行機が撃

墜落機に類似したDC-6（上）と墜落現場の様子

2019年に発表された事故機の内部写真。尾翼部分に穴が見られ、専門家はこれを別機から撃ち込まれた榴散弾が原因だと分析している(上)。事故の真相に迫ったドキュメンタリー映画「誰がハマーショルドを殺したか」(右)

墜したと証言。２０１４年、英ガーディアン紙が、撃墜したのはカタンガ空軍のベルギー人傭兵ジャン・リッセゲムだと示唆する記事を掲載し、２０１５年３月には、当時の国連事務総長が公式な調査の再開を発表している。

極めつきは、２０２０年７月に日本でも公開された映画「誰がハマーショルドを殺したか」である。デンマーク出身の映画監督兼ジャーナリストのマッツ・ブリュガーが墜落現場や関係者を取材し事故の真相に迫ったドキュメンタリーで、ブリュガーは映画の中で、アフリカにおける黒人たちを白人が経済的・軍事的に支配する状況を作るための秘密組織「サイマー」が事件の首謀者で、２００７年に死亡したベルギー人の傭兵が暗殺の実行者だったと結論づけている。

事故から半世紀以上経っても、様々な場所で取り沙汰されるハマーショルドの死。仮にそれが陰謀による暗殺だったとしても、もはや明快な答えが出ることはないだろう。

# ジェラルド・ブル暗殺事件

## 諜報機関に殺された可能性がある戦争兵器の第一人者

ジェラルド・ブルは、戦争兵器の開発で知られる科学者にしてエンジニアである。1928年、カナダのオンタリオ州に生まれ、幼い頃から模型飛行機に熱中し、16歳でトロント大学の工学部に進学。カナダ国防省出資の航空工学研究所が設立されると超音速機用の「風洞（人工的に空気などの小規模な流れを発生させ実際の流れ場を再現・観測する装置）」の研究に従事。続けて短距離ミサイル「ベルベット・グローブ」の開発に関わり、23歳で工学博士号を取得する。

ブルがミサイル模型を保護容器に入れ大砲で射出する派手な実験を開始すると、アメリカが注目し、巨額の資金援助を受けるようになる。さらに1961年からは、カリブ海に浮かぶバルバドス自治政府の同意をとりつけ、同地で「高々度研究計画（HARP）」と呼ばれる実験を開始。巨大な大砲で宇宙空間に物体を打ち上げようというもので、計画が成功すれば宇宙ロケットよりずっと安価で衛星を打ち上げることが可能になる。ブルはカナダとアメリカでも同様の実験を行い、重さ180キロの物体を高度180キロの宇宙空間まで到達させることに成功したが、衛星の打ち上げには至らず、計画は1968年に打ち切られた。

その後ブルは、射出兵器の専門家としてカナダやアメリカだけでなく、イスラエル、南アフリカなどで新しい大砲や砲弾を設計。1980年には経済制裁下にあった南アフリカに榴弾砲《りゅうだんほう》を輸出して逮捕されたものの、世界各国からの仕事の依頼は引きも切らなかった。その中にいたのが、かつてイラクの独裁者だったサダム・フセイン大統領である。フセインの依頼はHARPを上回る巨大大砲を設計してほしいというもので、名づけて「バビロン計画」。だが、この計画は1990年3月22日、頓挫する。ブルが拠点を移したベルギー・ブリュッセルの自宅扉前で背後から5発の銃弾を受け殺害されたからだ。犯人は特定されておらず、欧米ではMI6やモサド、イランの諜報機関による犯行の可能性があると報道されている。

ジェラルド・ブル。1990年、背後から5発の銃弾を撃ち込まれ殺害された。享年62

自殺、飛行機事故、銃殺、自動車事故

# クリントン元大統領夫妻の関係者47人が不可解な死を遂げている

第42代アメリカ大統領ビル・クリントン（1946年生。大統領任期は1993〜2001年）と、2016年、アメリカ史上初めて女性として主要政党の指名大統領候補となった妻のヒラリー（1947年生）。2人は世界でも最も著名な夫婦の一組だが、これまで彼らに関係した47人が次々と不自然な死に方をしているのをご存知だろうか。ここで紹介するのはその中でも特に有名な5人で、全員がクリントン夫妻に不利な情報を持っていた。

**▼ジェームス・マクドゥガル　1998年／心臓発作**

1979年、ビルがアーカンソー州知事時代、別荘地開発事業を行う「ホワイトウォーター社」を設立した際のビジネスパートナー。後に彼が始めた貯蓄貸付組合は、ビルの不正な政治資金のルートになっていたのではないかという「ホワイトウォーター疑

疑惑のクリントン元大統領夫妻

惑」が浮上。マクドゥガルはこの件を訴追され、3年半の懲役刑を受けて服役中に持病の心臓発作を起こす。が、除細動器が刑務所に常設されていたにもかかわらず使用されることなく遠方の福祉病院へ搬送され、死亡。実は、彼はクリントン夫妻を訴追予定の検察官側最重要証人として裁判に出廷予定だったという。

**▼メアリー・マホニー　1997年／射殺**

ビルはホワイトハウスの実習生モニカ・ルインスキーとの不倫関係が有名だが、実はマホニーも同時期に実習生としてホワイトハウスで働いており、ビルを罷免しようとする検察は、ホワイトハウスで性的嫌がらせを受けた証人としてマホニーを召喚、法廷で証言させる予定だった。が、彼女はホワイトハウスで働いた後、かけ持ちしていたスターバックスで、閉店直後に同僚2人とともに頭を撃ち抜かれる、いわゆる処刑スタイルで銃殺されてしまう。店には4千ドル（約44万円）もの現金が残され、盗まれた物は皆無。人通りの多い場所にもかかわらず音や叫び声を聞いた者もいなかったという。享年25。

**▼ビンス・フォスター　1993年／ピストル自殺**

弁護士のフォスターはアーカンソー州出身でビルの幼馴染。法律事務所で同僚になったヒラリーとも親友だった。1993年にクリントン政権の大統領次席法律顧問に任命されるが、その年の7月にバージニア州の公園で銃を手に死んでいるところを発見、自殺とされた。が、その後、フォスターが死んだ夜、大統領法律顧問の上司が、彼が保有していたホワイトウォーター関連のファイルをフォスターの事務所から持ち出していたことが判明。メディアは、彼が「ホワイトウォーターは〝ウジ虫〟の詰まった缶であり、絶対に開けてはならない」と書いたメモを残しており、また、目撃者が現場でピストルを見ていないこと、フォスターの受信記録など関連資料が全て消されていたこと、ヒラリーがフォスターのオフィスにある文書類を廃棄するよう命じたことなどを報じている。検視官も退官後、「自殺と考えるには疑問点が多かった」と語っているという。

**▼ロン・ブラウン　1996年／飛行機事故**

ブラウンはクリントン政権の商務長官。空軍機でクロアチアに向かう最中、飛行機が航路を誤り山に衝突し死亡した。当時ブラウンは、クリントン大統領とともに巨大企業エンロン社の不正取引を疑われ、事故前に「検察と取引することを決心した」と発言。また、CIAが反対する政策を推し進めたため、敵対視されていることも知られていた。つまり彼はクリントン政権の影の部分を「知り過ぎた男」だった。事故後、ブラウンの遺体を調べた医師は、銃弾による傷と似た穴が頭蓋骨にあったと報告。さらに、事故前に飛行機のナビゲーション機器が盗まれており、パイロットが意図的にコースオフして事故を起こしたとも推測されている。また事故の3日後、ナビゲーション機器の取り扱い責任者が頭を撃たれ死亡しているが、警察はこれを「自殺」として処理した。

**▼ジェリー・パークス　1993年／射殺**

パークスはビルのセキュリティチームの責任者だった。彼はビンス・フォスターが「自殺」したニュースを聞いた際、真っ青になって「私も死んだ人間だ」とつぶやき、その後何かに怯え銃を常に携帯。さらに「ビル・クリントンと彼の周りの人々は〝家の大掃除中〟で、リストの次は自分だ」と話していたという。その言葉どおりアーカンソー州リトルロック市で車を運転中、正体不明の2人組から銃撃を受け死亡した。彼は生前ビル・クリントンに関する書類を集め、情報を公にすると話していたそうだが、死後、その書類は家から忽然と消えていたそうだ。

この他にもビルの4人のボディガードをはじめ、多くの人間が1993年から数年の間に自殺、飛行機事故、自動車事故、犯人不明の銃撃などによって死亡。特に「ホワイトウォーター疑惑」に関連しては少なくとも3人が「自殺」している。これらの人々の死は、偶然にしてはあまりにもタイミングがよく、また人数が多すぎる。クリントン元大統領夫妻の関与はないのだろうか。

謎の死を遂げた5人。上からジェームス・マクドゥガル、メアリー・マホニー、ビンス・フォスター、ロン・ブラウン、ジェリー・パークス

## 公には「酩酊状態の運転手の過失が原因」とされているが…

# ダイアナ元妃事故死陰謀説

1961年、イギリスの名門貴族スペンサー伯爵家の令嬢として生まれたダイアナは、1981年、20歳の若さでチャールズ皇太子と結婚。彼との間にウィリアム王子とヘンリー王子をもうけるも互いの不貞が噂され、1996年に離婚が成立した。

翌年の8月31日未明、世界中に衝撃を与えた事故が起きる。フランス・パリで当時の交際相手だった映画プロデューサーのドディ・アルファイドとホテル・リッツ・パリでデートを楽しんだダイアナは、出待ちしていたパパラッチをまくため裏口からベンツに乗り込みドディの家へ向かった。運転手は追跡してきたパパラッチの車をまこうと時速140キロの猛スピードで走行。アルマ広場下のトンネル内で中央分離帯のコンクリートに正面衝突し、ダイアナとドディ、運転手の3人が死亡した。

ダイアナ元妃。享年36だった

フランス政府は当初、事故の原因を「パパラッチの執拗な追跡」と発表したが、すぐに「運転手の薬服用とアルコール過剰摂取のため」と訂正。確かに亡くなった運転手アンリ・ポールのアルコール摂取量は基準値の約3倍と判明している。普通はその状態で車の運転など不可能なはずが、事故直前、ホテルの防犯カメラの映像には、アンリが手際よくダイアナを車内へ誘導する様子が映っていた。

この事故が謎なのは、決定的な目撃者けおらず、唯一生き残った同乗者のボディガードも記憶喪失。車を追跡していたパパラッチが撮影した写真はパリ警察に没収され、世に出ていない。とにかく不可解な事柄が多いため、何か大きな力が働いていたと考える者も多い。

事故直前、ホテル・リッツ・パリを出入りするダイアナ（上）とドディ

運転手のアンリ・ポール。
運転ができないほど酔っていたようには見えない

イギリス人の多くが信じているのが、英政府が首謀者というものだ。ダイアナと一緒に亡くなったドディは、イスラム教徒。事故があった当日にプロポーズし、9月1日に婚約が発表される予定だったとの証言もあり、結婚を機にダイアナがイスラム教に改宗する可能性が高かった。これを恐れたのがイギリス王室だという。将来の英国王の母親がイスラム教徒となれば、大問題に発展しかねない。しかも、ドディの父親はイギリスのデパート「ハロッズ」や、かつてのフラムFC（サッカークラブ）、ホテル・リッツ・パリのオーナーを務めるエジプトの億万長者で、一族には世界的に有名な武器商人もいる。当時、ダイアナがすでにドディの子を身ごもっていたという噂もあり、英政府が、アルファイド一族に未来の英国王の異父兄弟が誕生する可能性を排除するため、暗殺したというのだ。

イギリス王室がダイアナを暗殺したとする説もある。妃の元執事のポール・バレルが2003年に著した『ダイアナ妃・遺された秘密』によれば、事故の9ヶ月前、ダイアナから「チャールズ皇太子が自動車のブレーキに細工して私の頭に損傷を与えようとしている」とい

時速140キロで中央分離帯に衝突、原形を留めないほど破損した事故車

った内容の手紙を預かったという。また、事故直後にはエリザベス女王から「この国で働いている『力』に気をつけるように」と忠告を受けたそうだ。王室がダイアナを狙うのは、王室の恥部まで知り過ぎている彼女が世間に何かまずい情報を流さないかという心配があり、さらに地雷廃絶や反戦運動に積極的なのも面白く思っていなかったという。なぜなら、イギリスは地雷の製造や販売で莫大な利益を得ているため、反対の立場で国民から人気を得ているダイアナが気に食わなかったらしい。

この他、18世紀に為政者や特権階級の者らによって創設された秘密結社「イルミナティ」とイギリス王室が切っても切れない関係にあることを知ったダイアナが邪魔な存在になり、イルミナティが事故に見せかけて暗殺したとする説、またダイアナに交際を申し込み断られた男性超能力者が故意に事故を起こさせたというトンデモ陰謀論まで存在する。

ダイアナがドライバーの過失で事故死した可能性は高い。が、死後20年以上経った現在も新たな証言が次々と出てくるのは、さほどに彼女の人気が高く、かつ事故に疑問点が多いからだろう。

国民から寄せられた多くの哀悼の花束を前にする元夫のチャールズ皇太子（左）、次男ヘンリー（中央）、長男ウィリアム（右）

## 陰謀論の背景に、ブッシュ政権の支持率回復と、報復による軍需産業の台頭が

# アメリカ同時多発テロ事件自作自演説

２００1年9月11日朝、米マサチューセッツ州ボストン、バージニア州ダレス（ワシントンD.C.近郊）、ニュージャージー州ニューアークを発った4機の旅客機がアラブ系19人のグループによってほぼ同時にハイジャックされた。彼らは操縦室に侵入し、パイロットを殺害した後、自らの操縦により2機（アメリカン航空11便、ユナイテッド航空１７５便）はニューヨーク・マンハッタンへ、残り2機（アメリカン航空77便、ユナイテッド航空93便）はワシントンD.C.へ向かった。

そして3機はニューヨークのワールドトレードセンター（以下ＷＴＣ）の北棟、南棟、ワシントンD.C.の米国防総省（ペンタゴン）本庁舎に突入。ＷＴＣ南北両棟は隣接するビル4棟と共に崩壊し、残る1機はホワイトハウスへ向かう途中で乗客の抵抗によってペンシルバニア州に墜落した。このアメリカ同時多発テロで、ハイジャック機に搭乗していた乗員乗客を含めビルの崩壊などで死亡したのは3千25人、負傷者は6千人以上。さらに物理的な被害はインフラなどへの損害を加えて最低でも１００億ドル（日本円で約1兆2千億円）にのぼったとされる。

アメリカ政府は公式に「ウサマ・ビン・ラディンを筆頭とするアルカイダが引き起こしたものので、重要建造物を標的に、ハイジャックした旅客機を用いた自爆テロであり、その方法はアメリカ合衆国連邦政府をはじめ誰もが予想もつかなかった」という見解を発表した。が、一方

2001年9月11日午前8時46分、ワールドトレードセンター北棟に激突したアメリカン航空11便に続き、9時3分に南棟に突っ込んでいくユナイテッド航空175便

で、テロはアメリカ政府とアメリカ軍が遠隔操作の貨物機やミサイル、建物内に仕かけた爆破解体用の爆薬を使ってWTCやペンタゴンを破壊、報道機関を利用し演出した事件だったとする説が唱えられている。当時、低迷していたブッシュ政権がこのテロによって高い支持率を獲得、アフガニスタンとイラクへ出兵し、軍需産業に大きな利益をもたらしたからだ。同時多発テロがアメリカの自作自演とはにわかには信じがたいが、その根拠にも一定の説得力がある。

長年、ブッシュ一族と親密で、1992年のジョージ・ブッシュの大統領選まで共和党の顧問的立場にあったジャーナリストのヴィクター・ゴールドは、2007年に自らの経験を踏まえた著書を出版。その中で、「9・11がなかったとしても、戦争をすでに決意したブッシュ政権は何らかの偽りの扇動を利用していたことに疑いはない」と書き記している。

これを受けてカナダの学術サイトが「9・11がなか

事件当日、訪問先のエマ・E・ブッカー小学校で2機目の突入を報道官から耳打ちされるブッシュ大統領（左上）。このとき、すでに事件発生を知っていた可能性も

ったとしてもネオコン（国益や実益よりも思想と理想を優先する政治イデオロギー）たちは何らかの自作自演の攻撃を準備していただろうとヴィクター・ゴールドが示唆した」と報じた。

自作自演説は、ブッシュ政権の労務省元主任エコノミストだったモルガン・レイノルズが2005年に行った主張も根拠になっている。曰く、遠く離れたアフガニスタンのイスラム原理主義者の本部からの指示を受け、19人のアラブ・テロリストによって9・11事件が引き起こされたという政府見解こそが、おとぎ話のような「陰謀論」だ。WTC崩壊に関する政府の公式見解は納得しがたい。あれほど短時間に、あれほど粉々に壊せるのはプロによる解体作業だけだが、分析する前に連邦緊急事態管理庁がWTCから証拠を取り去ってしまった。科学者や技術者、偏見のない研究者たちが事件を解明するべきだが、現在のアメリカの警察国家状態の下ではそれは難しい。爆破と建築の専門家たちは事件を分析することに対して、逮捕の恐怖を感じているのだ、と。

さらには、事件の不可解さも自作自演がささやかれる要因だ。WTCと周辺のビル群は、航空機の衝突とそれに伴う火災によって崩壊したというのが公式見解である。「パンケーキクラッシュ」と呼ばれる、ビルの各階が順に押し潰されるようにして崩壊する現象だ。しかし、崩壊時の映像記録によれば第1ビル、第2ビル、第7ビルの崩壊速度は論理的にあり得ず、実際、近代的な高層ビルで火災が原因で崩壊した例は過去にないという。パンケーキ説が唱えるような重みや歪みなどによる崩壊であれば、各階に残骸が残っているはずが実際には原形を留めないほど粉砕されている。そこで導かれるのが、WTCの崩壊が人為的な爆破あるいは解体だったという主張だ。他にも、3つのビルの崩壊にはテルミット（冶金法のひとつ）が使われたという説や、また第7ビルは撃墜の影響を受けていなかったにもかかわらず、古いビルの爆破解体のように中央から瞬時に崩れ、周りの建物をほとんど傷つけることなく瓦礫が敷地内に収まっていたのがおかしいとの指摘がある。

ただ一方で、爆破解体は無数の爆薬に電気配線をつなぎ、電気雷管で起爆する非常に緻密な作業で、ましてやWTC規模になると少なくとも数百人の人員と数ヶ月の工期が必要。1日に20万人以上が出入りするWTC内でこうした作業を秘密裏に行えるのか、疑問は残る。

自作自演説にはアメリカン航空77便のペンタゴン突入への疑義もよく取り沙汰されている。CNNが事件当日、ペンタゴン攻撃直前にペンタゴン上空を航行していた飛行機を撮影した画像を保有しているが、一般の旅客機ではなく軍用機のE-4Bの外形に酷似していたそうだ。また、元アメリカ陸軍グリーンベレーのジャーナリストが、事故直後の現場写真に対し次のように指摘している。衝突場所の前面の芝生部分に残骸が全く飛び散っていない。事故当日の衛星写真では、ペンタゴンの最も外側の棟の5階建ての1階部分のみ損傷を受けているが、ペンタゴンの建物の高さは約24mあるのに、どうすれば時速400キロのボーイング機が突入して

破壊された米国防総省（ペンタゴン）本庁舎と、同縮尺のアメリカン航空77便（ボーイング757）の合成写真。写真のように突入したものと想像されるが、現場では機体の破片一つ見つからなかった（サイト「米国同時テロ事件についての疑惑」より。http://www.kt.rim.or.jp/~mitsu-ya/giwaku/）

１階にだけダメージを与えることができるのか。ボーイングの翼部分が当たることによって発生するはずのダメージがどこにも見当たらない。ペンタゴン近くのガソリン・スタンドで、防犯カメラが事件現場の方を向いていたが、撮影されたビデオは事件後に米軍兵士によって没収されてしまった。高速飛行可能な巡航ミサイルのような小型物体が映っていた可能性があるため、それを隠蔽しているのではないか等々だ。

こうした自作自演説の他、米政府がテロをあらかじめ知っていたが意図的に見逃したという説もある。これはアルカイダがもともと、ソ連のアフガニスタン侵攻（１９７８年）に際しアメリカのＣＩＡ（中央情報局）によって設立された武装抵抗組織であるという経緯や、ブッシュ大統領ないしその一族がビン・ラディンとつながっており共謀したとする推測が根拠になっているが、果たして自国民を殺害するような暴挙を働くかという疑問もあるのも確かだ。

この他、事件当日にＮＯＲＡＤ（北アメリカ航空宇宙防衛司令部）の演習が遠方で行われていたため48の州で警戒状態にあった戦闘機は14機だけだったことや、事件当日、ニューヨーク航空管制局の管制官が2機のハイジャック機を取り扱った際の通信記録が連邦航空局職員によって破棄されたことへの疑義、テロ当日、イギリスBBCの女性記者がWTC第7ビル倒壊前に「たった今、ソロモン・ブラザーズ・ビル（第7ビル）が崩壊したという情報が入ってきました」とリポートした直後に中継が不可解に中断したことなどからBBCが事件に関与しているとする説など、数え切れないほどの陰謀論、疑義が存在する。いずれも確たる証拠はない。確かなのは、アメリカ国民をはじめ世界中の多くの人々が、テロから20年弱経った現在も少なからず疑問と謎を抱いているということだ。

WTC第7ビル倒壊を報じるイギリスBBCの女性記者。が、このとき第7ビルはまだ倒壊しておらず（矢印参照）、BBCの事件への関与が疑われるきっかけになった

## 当局が反トランプ文書を勝手に削除したことを告発
# 女性記者ブリ・ペイトン急死事件

ブリ・ペイトン（1992年生）は、アメリカの保守的オンラインニュース「連邦政府」のライターであり、BBCニュースやFOXニュースのコメンテーターとして活躍するジャーナリストだった。その彼女が2018年12月13日付の「連邦政府」にスクープ記事を発表、一躍注目を浴びる。内容は、愛人関係にあったFBI捜査官の男性ピーター・ストルゾックとFBI弁護士の女性リサ・ペイジの携帯電話が突如、工場出荷時の設定にリセットされ、2人でやりとりしたメールなどのデータが消去されたというものだ。

当時2人は、2016年の選挙シーズン中にドナルド・トランプ（前大統領）とロシア政府の間で共謀があったかどうかを調査する司法省の特別チームに在籍。彼らはトランプを批判する大量のテキストデータを送り合っており、その中にはFBIが反トランプ派で捜査が中立でないという証拠が含まれていたそうだ。それを監視していた司法省が、2人に無断でメッセージを破棄したという。

厳密に言えばこれはペイトンのスクープではない。ネタ元は司法

スクープ記事の後に急死したブリ・ペイトン

トランプを批判するメールを送り合っていたFBIのピーター・ストルゾック（右）とリサ・ペイジ。2人は当時、愛人関係にあった

省検査当局が発行した公的に入手可能な報告書である。しかし、ペイトンの記事はＦＢＩ長官の関与をも追及する内容で、大きな反響を呼ぶ。結果、トランプやヒラリー・クリントン、そして司法省、ＦＢＩを巻き込む大騒動に発展し、ストルゾックは解雇され、ペイジは辞任に追い込まれる。

記事が発表されてから2週間後の12月27日、異変は起きる。ペイトンが急死したのだ。前日、サンディエゴのテレビに出演するため友人宅に宿泊。その番組についてツイッターに投稿するなど元気だった彼女が、翌朝午前8時30分頃、友人が声をかけたところ、すでにベッドの中で意識不明の状態だったという。直ちに病院に搬送されたが、豚インフルエンザと髄膜炎と診断され、翌28日に息を引き取った。

ペイトンの死は明らかに不自然だ。インフルエンザや髄膜炎なら、死ぬ直前まで何の症状もないわけがない。アメリカ政府やＦＢＩにとって不都合な記事を執筆後の急逝《きゅうせい》。彼女の死を受け、アメリカでは、政府に多大な影響力を持つ〝影の政府〟が殺害したという噂がまことしやかに流れているそうだ。

## 知ってガクブル！ 世界の未解決ミステリー100

文庫本

「甲府事件」「謎の少年 ゆうちゃん」「ソッダーチャイルド」「加茂前ゆきちゃん行方不明事件」「韓国カエル少年事件」「オエル・ヘルデ村事件」「ボーイ・イン・ザ・ボックス」「パプーシュカ・レディ」「長岡京殺人事件」「南京リッパー事件」「名古屋妊婦切り裂き事件」「ベアトリスの聖歌隊」「ポロック家の双子」など。定価704円（税込）240ページ

## 映画になった戦慄の実話

単行本

「チェンジリング」「ナチュラル・ボーン・キラーズ」「ルーム」「ゴーン・ガール」「モンスター」「チェイサー」「冷たい熱帯魚」「復讐するは我にあり」「ヒーローショー」「俺たちに明日はない」「ボーイズ・ドント・クライ」「殺人の追憶」「誰も知らない」「狼たちの午後」「炎628」「ニュースの天才」「明日に向って撃て!」など。定価990円（税込）272ページ

## 映画になった衝撃の実話

文庫本

「デトロイト」「15時17分、パリ行き」「ダンケルク」「パトリオット・デイ」「ペンタゴン・ペーパーズ 最高機密文書」「全員死刑」「グッドフェローズ」「ザ・シークレットマン」「アメリカン・ハッスル」「セデック・バレ」「エクソシスト」「オリエント急行殺人事件」「JFK」「キャプテン・フィリップス」など。定価968円（税込）432ページ

TETSUJINSYA
鉄人社の本

鉄人文庫

# 戦慄の未解決ミステリー88

2021年11月15日　第1刷発行

編　者　鉄人ノンフィクション編集部
発行人　稲村　貴
編集人　尾形誠規
発行所　株式会社 鉄人社
〒162-0801 東京都新宿区山吹町332
オフィス87ビル3F
TEL 03-3528-9801　FAX 03-3528-9802
http://tetsujinsya.co.jp/
デザイン　鈴木　恵（細工場）
印刷・製本　新灯株式会社

ISBN978-4-86537-224-3　C0176


主要参考サイト
カラパイア　ロケットニュース24　エイビーロード　トカナ　Gigazine
デイリー・ミラー　エキサイトニュース　Yahoo!ブログ　livedoorブログ　全国心霊マップ
おに怖ニュース　YouTube　CBC news　The NewYork Times　ウィキペディア　IRORIO
DDN JAPAN　AFPBB News　TIME　GOTRIP!　日刊ゲンダイDIGITAL
ダイヤモンド・オンライン　日本珍スポット100景　フォートラベル
その他、多くのサイト、資料を参考にさせていただきました。